KB187086

불가리아 출신
율리안 모데스트의 에스페란토 원작 소설

꿈의 사냥꾼

(에스페란토 포함)

Titolo Ĉasisto de sonĝoj
Aŭtoro Julian Modest
Provlegis Johan Derks
Eldonjaro 2019
Eldonejo Eldonejo Libera
ISBN 978-0-244-22384-7

JULIAN MODEST
ĈASISTO DE SONĜOJ
Novelaro,
originale verkita en Esperanto
2019

불가리아 출신
율리안 모데스트의 에스페란토 원작 소설

꿈의 사냥꾼
(에스페란토 포함)

율리안 모데스트 지음
오태영 옮김

진달래 출판사

ENHAVO:

목차

서문(序文)

개인적으로 발행인(發行人)으로서 우리 출판사(出版社)에서 출판하는 책들을 가장 처음으로 읽을 수 있다는 것이 큰 즐거움입니다. 능력 있고 유명한 작가가 새로운 원고를 보내주는 경우는 더욱 그렇습니다.

이미 수년간 작가로 활동한 내 친구 율리안 모데스트가 보낸 첫 번째 책인 '황금의 포세이돈'을 이제 막 시작하는 에스페란토사용자로서 읽고, 언어지식을 발전시키고 단어 공급을 확장해 주는 데 도움을 받았습니다. 게다가 에스페란토 문학을 알게 되었습니다. 그때 이후로 '모나토' 잡지(雜誌)에서 새 소설을 보거나, 어느 책 서비스에서 새 책을 볼 때마다 늘 기뻤습니다.

출판사 '리베라'에서 이미 3권의 추리 소설이 나왔고, 이 단편소설집은 우리 공동작업의 네 번째 열매입니다.

이 책의 이야기들은 매우 마음에 듭니다. 다양성, 물 흐르듯 아름다운 언어, 좋은 마무리가 있는 익숙한 동화와 대조적으로 놀랍고 상투적이지 않고 올바르지만, 가끔 매우 현실주의적인 원작 내용 때문입니다. 원고 절반을 읽은 뒤에 율리안에게 자연스럽게 위와 같은 말을 써서 보냈고, 유감스럽지만 직접 출판하는 책에 서평(書評)을 쓸 수 없다고 덧붙이면서 그 책은 분명히 다른 서평단들에도 마음에 들 거라고 자신(自身)을 위로했습니다.

곧바로 율리안에게서 그 대신 서문을 써 달라는 제안을 담은 편지가 왔습니다.

그래서 기꺼이 주저하지 않고 그 제안을 받아들였습니다.

지금 여러분 손에는 율리안 모데스트의 가장 새로운 단편소설집이 있습니다.

독자(讀者)인 여러분이 책을 읽으면서 발행인인 저처럼 그렇게 많이 즐기기를 온 맘으로 바랍니다.

로데 반 데 벨데

ANTAŬPAROLO

Al mi persone estas tre ĝojige ke, kiel eldonisto, mi povas la plej-plej unua legi la verkojn kiuj aperas ĉe mia eldonejo. Des pli tio estas la kazo kiam talenta kaj konata verkisto sendas sian novan manuskripton.

La unuajn librojn de mia amiko kaj jam multjara verkisto Julian Modest, kun la titoloj La Ora Pozidono kaj Maja Pluvo, mi legis kiel novbakita esperantisto kaj ili certe helpis min evoluigi mian lingvokonon kaj ampleksigi mian vortprovizon. Plie, ili konatigis min kun la esperanta literaturo.

Depost tiam, mi ĉiam ĝojis malkovri novan novelon lian en la revuo Monato, aŭ novan libron en iu libroservo.

Ĉe Eldonejo Libera aperis jam tri krimromanoj, tiu ĉi novelaro estas la kvara frukto de nia kunlaboro. La rakontoj de tiu ĉi libro tre plaĉas al mi pro ilia diverseco, la flua kaj bela lingvaĵo, la originala enhavo kun la surprizaj, ne-kliŝaj finoj, ofte – prave – tre realismaj, kontraste al kutimaj fabelecaj rakontoj kun bona fino.

Pli-malpli tiujn ĉi-suprajn vortojn mi spontanee skribis al Julian post tralego de duono de la manuskripto, aldonante ke mi bedaŭris ne povi verki recenzon pri libro kiun mi mem eldonas, sed konsolante min ke la libro certe plaĉos ankaŭ al aliaj recenzantoj. Baldaŭ poste venis lia respondo kun la propono ke mi anstataŭe verku la antaŭparolon, propono kiun mi volonte kaj senhezite akceptis.

Jen do, en viaj manoj, la plej nova novelaro de Julian Modest, pri kiu mi tutkore esperas ke vi, leganto, ĝuos la legadon same multe kiel mi, eldonisto.

Lode Van de Velde

이야기란 무엇인가?

아이들은 왜 동화를 좋아할까요?
왜 우리는 우리 모든 삶의 역사, 경험, 순간들을 말하고
싶어 할까요? 이야기는 가장 오래된 문학 형식입니다.
사람들은 이야기를 이용해 자기 인생을 정리합니다.
이야기는, 생각과 감정의 빛으로 불을 밝힌 우리 경험
중의 부분들입니다.
우리는 이야기하기를 좋아하고, 보통사람들과 그렇지 않
은 사람들에 관해 이야기를 듣거나 읽기를 좋아합니다.
진짜 이야기 속에는 작은 주연들이 나옵니다.
그러나 그들의 경험은 평범하지 않습니다.
우리가 이야기할 때, 말, 생각, 감정, 주연들의 특징을
활용합니다.
이야기 속에서 그림이나 행동의 장소들이 간략하게 그려
집니다. 단지 몇 마디 말로 우리의 생각, 우리의 상상을
불러일으키는 그림을 넌지시 알려줍니다.
이야기 속에는 긴 대화가 없습니다.
주연은 정확하게 그의 생각과 관점을 표현합니다.
그러나, 정확한 문장을 사용하여 자신의 특징을 나타냅
니다. 이야기 작가는 주연의 특징을 자세하게 설명하지
않습니다. 작가는 주연의 성격에 대해 단지 몇 가지 특
징을 표현하고 독자는 잘 알아차립니다. 똑같이, 우리가
모르는 사람을 만났을 때, 하는 말과 행동거지와 시선에

따라 어떤 사람인지 짐작할 수 있습니다. 이 행동거지와 세밀한 표정을 알려주고, 주연의 성격을 표현하는 몇 마디 문장을 언급합니다. 이야기에서 작가는 주연의 모든 삶을 이야기하지 않습니다.

그러나 이야기에서는 인생에 영향을 끼친 중요한 순간만을 강조합니다. 이야기에서 풍경은 분위기뿐만 아니라 주연의 성격이나 행동의 배경입니다.

풍경은 경험이나 주연의 마음 상태에 대해 대조되거나 함께 할 수 있습니다.

이야기에서 가장 중요한 단어는 '그러나'입니다.

'그러나'라는 단어가 독자들에게 주연의 주요한 목적을 가르쳐 줍니다.

종종 어떤 이야기들은 끝이 없는 것처럼 보입니다.

그것은 우연이 아닙니다.

작가는 독자들 스스로 이야기 끝을 상상하게 시킵니다.

그들은 공동 작가입니다. 그들은 내용에 대해서 같이 생각하고 같이 추측하게 만듭니다.

그리고 이야기가 끝난 뒤에 무슨 일이 일어날 것인지 스스로 결정하게 해 줍니다. 해가 지나고 수백 년이 흐릅니다. 그러나 사람들은 항상 이야기하기를, 이야기를 듣거나 쓰기를 좋아할 것입니다.

이야기의 세계는 매력적이고 환상적입니다.

이야기 덕택에 삶은 더 재미있고, 더 놀랄만하고, 더 아름다워집니다.

KIO ESTAS LA RAKONTO?

Eseo

Kial la infanoj ŝatas fabelojn? Kial ni bezonas rakonti historiojn, travivaĵojn, momentojn el nia ĉiutaga vivo?

La rakonto estas la plej malnova literatura ĝenro. Per la rakontoj ni ordigas nian vivon. La rakontoj estas fragmentoj el niaj travivaĵoj, kiujn ni lumigas per la lumo de niaj meditoj kaj emocioj. Ni ŝatas rakonti, ni ŝatas aŭskulti aŭ legi rakontojn pri oridinaraj kaj neordinaraj homoj. En la veraj rakontoj estas malmultaj rolantoj, tamen iliaj travivaĵoj ne estas ordinaraj.

Kiam ni rakontas, ni ludas per la lingvo, per la pensoj, per la emocioj, per la karakteroj de la rolantoj. En la rakontoj la bildoj, la lokoj de la agoj estas skizitaj. Nur per kelkaj vortoj la verkistoj aludas la bildojn, kiuj provokas nian imagon.

En la rakontoj ne estas longaj dialogoj. La rolantoj koncize esprimas siajn pensojn, vidpunktojn, sed per la koncizaj frazoj ili mem karakterizas sin. La verkistoj de la rakontoj ne priskribas detale la rolantojn. La verkistoj montras nur kelkajn trajtojn de iliaj karakteroj kaj la legantoj bone ekkonas la rolantojn. Same, kiam oni renkontas nekonatan homon, oni povus konjekti kia li estas laŭ lia parolo, liaj gestoj, lia rigardo. Tiel la verkistoj de la rakontoj montras nur gestojn, detalojn de la vizaĝoj de la rolantoj, mencias kelkajn frazojn, kiuj prezentas la karakterojn de la rolantoj.

En la rakontoj la verkistoj ne priskribas la tutan vivon de la rolantoj, sed ili emfazas nur momentojn el ilia vivo, kiuj gravas por la influo de la rakontoj.

La pejzaĝo en la rakontoj aldonas ne nur la atmosferon, sed ĝi estas fono al la karakteroj kaj agoj de la rolantoj. La pejzaĝo povas esti en kontrasto aŭ en sinkrono al la travivaĵoj, aŭ al la anima stato de la rolantoj.

En la rakontoj la plej gravas la vorto "sed". Okazas io, sed la vorto "sed" direktas la legantojn al ĉefa celo de la rakontoj. Ofte ŝajnas al ni, ke iuj rakontoj ne havas finon. Tio ne estas hazarde. La verkistoj instigas la legantojn mem diveni la finon de la rakonto. Ili estu kunverkintoj. Ili meditu, rezonu pri la enhavo kaj ili mem decidu kio okzos post la fino de la rakonto.

Pasos jaroj kaj jarcentoj, sed la homoj ĉiam ŝatos rakonti, aŭskulti aŭ verki rakontojn. La mondo de la rakontoj estas alloga kaj reva. Dank' al la rakontoj la vivo iĝas pli interesa, pli mirinda, pli bela.

Julian Modest

Sofio, la 11-an de aprilo 2019

충성심

공원은 부드러운 눈 이불 아래에서 자고 있다.

오솔길은 사람이 없이 조용하다.

나뭇가지는 눈으로 하얗게 되었다.

가지 위의 작은 얼음 수정들은 아침 햇살을 반사하고 있다. 누군가 눈 밟고 가는 발소리가 눈 덮인 길 위에서 들린다.

네다 아주머니와 애완견 라드는 산책했다.

아직도 자는 공원에서 서로 천천히 걸어갔다.

아침마다 같은 시간에 아주머니와 라드는 공원을 다니며 같이 중앙공원 문에서 가장 먼 오솔길까지 걸어간다.

때때로 라드는 네다 아주머니를 떠나 앞쪽으로 뒤쪽으로 뛰어가서 길 위에서 무언가를 살펴보다가 다시 돌아와 조용하게 같이 가기를 계속한다.

네다 아주머니는 65살이고, 나뭇가지 위에 내린 눈과 같은 은색의 머리카락, 투명한 파란 눈을 가지고 있고 친절한 작은 웃음을 띠고 있다.

오늘 아침 네다 아주머니와 라드는 다시 공원에서 산책했다.

집으로 돌아가기 위해 공원 문에 가려고 할 때, 네다 아주머니는 마치 누가 칼로 찌르는 듯 가슴에 심한 통증을 느꼈다.

네다 아주머니는 흔들렸지만 넘어지지 않고 근처 눈이

쌓이지 않은 의자 위에 앉았다.

라드는 아주머니에게 뭔가 안 좋은 일이 생겼다고 눈치 채고 시끄럽게 짖기 시작했다.

공원 입구에는 공원 경비원 초소가 있다.

네다 아주머니가 기절하는 것을 창을 통해서 보고 초소에서 뛰어나와, 앉아있는 의자로 가까이 가 아주머니에게 물었다.

"아주머니, 어디 아프세요?"

"예" 네다 아주머니가 대답했다.

"가슴이 아주 아파요."

"곧 응급차를 부를게요." 경비원이 말하며 주머니에서 휴대용 전화를 꺼내 전화를 걸었다.

네다 아주머니는 힘겹게 숨을 쉬면서 의자 위에 앉아있다.

고통이 계속됐다.

잠깐 조금 약해졌다가, 곧 다시 세게 가슴을 찔렀다.

라드는 움직이지 않고 서 있다.

마치 무슨 일이 일어났는지, 창백한 얼굴로 왜 경련을 일으켰는지 묻기를 원하듯이 아주머니를 쳐다보았다.

응급차가 왔다.

의사가 네다 아주머니에게 가까이 가서 얼굴을 쳐다보고, 무슨 일인지 곧 알아차렸다.

차에 태우고, 사이렌 소리를 내며 출발했다.

라드는 네다 아주머니가 앉아있던 의자 옆에서 움직이지 않고 남았다.

경비원은 초소로 들어가 아침 신문을 펼쳐보기 시작했다. 20분 뒤에 창을 통해서 라드가 아직 의자 옆에 서 있는 것을 보고 "이상하네. 개가 아직도 거기 있네."하고 말했다.

다음 날 아침 경비원이 공원에 왔을 때 다시 의자 옆에 서 있는 라드를 보았다.

개는 어제처럼 거기 있고 분명히 어젯밤 내내 의자 옆에 있었을 것이다.

시간이 지나갔다.

공원에 사람들이 산책하러 왔다.

그러나 라드는 의자 옆에 계속 있었다.

'여기서 배고파 개가 죽겠네.' 경비원이 혼잣말했다.

'내가 집으로 데려가서 먹을 것을 줘야겠다.'

경비 당직 근무가 끝나자 라드에게 가까이 가서 고삐를 잡고 집으로 데리고 갔다.

경비원은 공원 근처에 살았다.

집 마당에 있는 나무에 라드를 묶고 물과 먹을 것을 주었다.

"오늘부터 너는 나의 손님이다." 경비원이 라드에게 말했다.

"주인 아주머니가 병원에서 돌아왔을 때 다시 돌아갈 수 있을 거야."

다음 날 아침 라드가 마당에 없어서 경비원은 아주 놀랐다.

"분명 이곳이 마음에 안 들었던 모양인데" 경비원은 말하고 공원으로 갔다.

더 놀라운 것은 네다 아주머니가 앉아있던 의자 옆에 서 있는 라드를 보았을 때다.

"나보다 먼저 왔네." 경비원이 놀랐다.

라드는 경비원에게 머리를 돌리더니, 나중에는 이틀 전에 응급차가 네다 아주머니를 데리고 간 오솔길을 바라보았다.

오후에 경비원은 다시 라드를 데리고 집으로 갔다.

그러나 아침에 라드는 다시 공원에 있었다.

"똑똑하네." 경비원이 말했다.

"너는 여기서 늘 주인 아주머니 기다리기를 원하는구나."

일주일이 지났다.

라드는 네다 아주머니가 기절했던 공원 벤치에 여전히 있다.

FIDELECO

La parko dormis sub la mola neĝa kovrilo. La aleoj silentis senhomaj. La arbobranĉoj neĝarĝentis kaj la glaciaj kristaletoj sur ili respegulis la matenan sunlumon. Aŭdiĝis nur ies grincantaj paŝoj sur la neĝkovrita pado. Onklino Neda kaj ŝia hundo Rad promenis. Ili paŝis malrapide unu apud la alia en ankoraŭ dormanta parko.

Ĉiun matenon dum unu sama horo onklino Neda kaj Rad estis en la parko kaj ambaŭ trairis la vojon de la centra parka pordo ĝis la plej malproksima aleo. De tempo al tempo Rad deflankiĝis de onklino Neda kaj kuris jen antaŭen, jen malantaŭen, kontrolis ion sur la pado, poste ĝi denove revenis kaj daŭrigis kviete akompani onklinon Neda. Sesdek kvinjara, ŝi havis arĝentkoloran hararon, similan al la neĝo sur la branĉoj, diafanajn bluajn okulojn kaj karan rideton.

Ĉimatene onklino Neda kaj Rad denove promenis en la parko kaj kiam ili ekiris al la parka pordo por reveni hejmen, onklino Neda eksentis fortan doloron en la brusto, kvazaŭ iu per tranĉilo pikis ŝin. Onklino Neda ŝanceliĝis, sed ne falis, nur sidiĝis sur la proksiman benkon neĝkovritan. Rad tuj eksentis, ke io malbona okazis al onklino Neda kaj ĝi maltrankvile komencis boji. Ĉe la enirejo de la parko estis la budo de la parkogardisto, kiu tra la fenestreto vidis, ke onklino Neda svenis. Li eliris el la budo, proksimiĝis al la benko, kie ŝi sidis kaj demandis:

-Sinjorino, ĉu vi malbone fartas?

-Jes – respondis onklino Neda. – Mia koro tre forte doloras.

-Tuj mi vokos Rapidan Helpon – diris la viro, elprenis el la poŝo sian poŝtelefonon kaj telefonis.

Onklino Neda sidis sur la benko, spirante peze. La doloro daŭris. Por momento ĝi iom malfortiĝis, sed poste tuj denove forte pikis ŝin. Rad staris senmova kaj rigardis ŝin, kvazaŭ deziris demandi kio okazis kaj kial ŝia pala vizaĝo konvulsiĝas.

La aŭto de Rapida Helpo venis. La kuracisto proksimiĝis al onklino Neda, alrigardis ŝin kaj tuj komprenis kio okazis. Oni helpis ŝin eniri al aŭton, kiu rapide sirensone forveturis. Rad restis senmova ĉe la benko, kie sidis onklino Neda.

La parkogardisto eniris la budon kaj komencis trafoliumi la matenan ĵurnalon, sed post dudek minutoj li rigardis tra la fenestreto kaj vidis, ke Rad ankoraŭ staras ĉe la benko.

-Strange – diris la gardisto – la hundo ankoraŭ estas tie.

Venonttage matene, kiam la gardisto venis en la parkon, li

denove vidis Rad, starantan ĉe la benko. La hundo estis tie kiel hieraŭ kaj certe la tutan nokton ĝi pasigis ĉe la benko.

La horoj pasis. En la parkon venis homoj promenadi, sed Rad estis tie, ĉe la benko.

-La hundo mortos ĉi tie pro malsato – diris al si mem la gardisto. - Mi kondukos ĝin hejmen kaj donos al ĝi manĝi.

Kiam la deĵoro de la gardisto finiĝis, li proksimiĝis al Rad, prenis ĝian rimenon kaj ekiris kun Rad hejmen. La gardisto loĝis proksime al la parko. Li ligis Rad al arbo en la korto de la domo kaj donis al ĝi akvon kaj maĝaĵon.

-De hodiaŭ vi estos mia gasto – diris la gardisto al Rad. – Kiam via dommastrino revenos de la malsanulejo, vi denove iros al ŝi.

Tamen granda estis la surprizo de la gardisto, kiam la sekvan matenon li vidis, ke Rad ne estas en la korto.

-Certe al la hundo ne plaĉis esti ĉi tie – diris la gardisto kaj ekiris al la parko.

Pli surprizita li estis, kiam vidis Rad en la parko, starantan ĉe la benko, sur kiu sidis onklino Neda.

-Ho, vi venis antaŭ mi – miris la gardisto.

Rad nur turnis kapon al li kaj poste alrigardis la ŝoseon,

kien antaŭ du tagoj ekveturis la aŭto de Rapida Helpo kun onklino Neda.

Posttagmeze la gardisto denove prenis Rad kaj ekiris hejmen, sed matene Rad denove estis en la parko.

-Klare – diris la gardisto – vi deziras esti ĉi tie kaj atendi vian dommastrinon.

Pasis semajno, sed Rad ĉiam estas en la parko ĉe la benko, ĉe kiu svenis onklino Neda.

편지

금요일 오후다. 여름의 마지막이라 조금 따뜻하고 약한 바람이 부는 화창한 날이다.

길가의 나무는 커다란 푸른 그림자를 드리운다.

하늘은 조용하고 주변 호수처럼 빛난다.

나무 밑 의자에 앉아서 거리를 지나가는 사람들, 자동차들, 자전거들을 쳐다보니 좋다.

그러나 도브린은 어느 의자에 앉아 여름 오후를 즐길 조그마한 시간도 없다.

구릿빛 동전 모양의 커다란 해가 구름 없는 파란 하늘로 천천히 흘러가 지금 수평선으로 가라앉는 것조차 알아차리지 못한다.

직장 일이 끝나고 집으로 돌아오기 전에, 판매점이나 약국에 물건을 사러 가야 하고, 딸 미라가 학교에서 7시에 돌아오기 때문에 저녁을 준비하러 빨리 집에 가야 한다.

몇 가지 시간이 걸리는 일이 있지만, 시간이 쏜살같이 날아가 도브린은 그 뒤를 뛰어간다.

지역 판매점은 사람들로 북적였다.

사람들이 계산대 앞에 줄지어 서 있다.

도브린은 먹을 양식으로 장바구니를 채웠다.

그리고 남과 같이 줄에 섰다.

참을성 있게 기다리면서 집에서 할 일에 대해서 생각한다.

집에 오면 곧바로 저녁을 준비하기 시작할 것이다.

오늘 저녁에는 스파게티를 요리하려고 마음먹었다.

정말 미라는 스파게티를 좋아한다.

이미 아내 조라가 죽은 지 3년이 지나, 도브린은 물건을 사고 요리하고 접시를 씻고 청소를 한다.

미라의 아빠이자 엄마다.

가끔 피곤해서 책 읽기도, TV 보기도, 말하기조차 할 생각이 없지만, 미라에게는 피곤한 내색을 하고 싶지 않다.

미라 역시 잘 지내지 못하는 것을 알고 있다.

정말 열네 살 어린 여자아이가 엄마 없이 살기는 쉽지 않다.

그러므로 미라가 고통스럽지 않고 편안하게 지내도록 모든 일을 한다.

삶에서 유일한 희망과 의미는 미라다.

일하고 움직이다가 미라의 작은 웃음을 볼 때면 마치 날개를 가진 듯 가볍다.

미라는 7학년 학생이고 지금 아빠를 필요로 한다는 것을 잘 안다.

지금 아이를 돕고, 기대고, 용기를 주어야만 한다.

미라는 아빠가 두 사람 모두 잘 살도록 가능한 최선을 다하고 있는 것을 보고 아빠를 도우려고 시도했다.

때때로 요리도, 빨래도 한다.

그러나 아빠는 항상 '가장 중요한 것은 공부니 좋은 학생이 되라'고 말씀한다.

어느새 계산대 앞에 선 줄들이 사라졌다.

도브린은 먹을 재료들에 대한 값을 지급하고, 판매점에서 약간 옆으로 서서 장바구니에 물건을 넣기 시작했다.

바로 옆에 비슷한 나이 또래로 보이는, 갈색의 꼬불꼬불한 머리카락, 따뜻한 비둘기색 눈, 빨간 치마에 파란 블라우스를 입은 여자가 서 있다.

도브린에게 작게 웃는 듯 보였다.

그러나 어느 교육을 받지 못하거나 무례한 사람이라고 생각하지 않도록 그 여자를 쳐다보지 않고, 장바구니에 머리를 기울였다.

그러나 여자는 계속 서서 쳐다보았다.

말 걸기를 기다리는 듯 보였다.

도브린은 불안했다.

'내가 이 여자를 아는가 아니면 이 여자가 나를 아는가?'

혼자서 궁금했다.

'아니야, 아니야. 결코, 본 적이 없어.'

하지만 계속해서 나를 쳐다보니 친절함 때문에 인사하지 않을 수 없구나

말을 꺼내려고 하는데 먼저 그 여자가 말을 걸었다.

"안녕하세요, 바크리노브 씨."

도브린은 머리를 들고 커다랗게 놀란 눈으로 쳐다보았디.

'정말 이 여자가 내 이름을 안다.

믿을 수 없다. 그럼 어디에서?'

곧 어디에서 이름을 알게 되었느냐고 묻고 싶었다.

여자가 다시 말을 꺼냈다.

"당신의 편지를 받았어요.

하지만 아직 답장을 못 해 죄송해요."

이 말이 도브린을 혼란스럽게 만들었다.

틀렸다고 말하려고 준비했지만, 실제 내 이름을 알고 있다.

결코, 도브린은 여자에게 편지를 쓰거나 보낸 적이 없다.

전에 학생이었을 때 가끔 그때 사랑했던 여자아이에게 편지를 썼다.

"친절한 말씀에 감사드려요." 여자가 계속했다.

"나도 당신이 제안한 것처럼 영화관이나 공연장에 같이 가는 것이 좋다고 생각하거든요."

도브린은 땀 흘리기 시작하여 바보스럽게 입을 벌리고 여자를 바라보았다.

여자가 말한 것, 편지, 친절한 말씀, 영화관, 공연장, 이미 충격에 빠져 단지 우물쭈물했다.

"아, 예, 예."

"편지도 계속하고 언제 만날 것인지 서로 의견을 나눠요."

도브린의 당황함을 알아차린 듯 여자가 말했다.

"안녕히 가세요, 바크리노브 씨."

그리고 다시 친밀하게 작게 웃어주었다.

도브린은 돌처럼 굳어지고 무슨 일이 일어났는지 전혀 이해할 수 없다.

'이 여자가 누구지? 꿈이야 기적이야?'

지금까지 이같이 이상한 경험은 없었다.

천천히 출발하면서 모르는 여자에 대한 생각이 머릿속으로 세게 들어왔다.

집에서 스파게티 요리를 시작했다.

미라가 학교에서 돌아와 부엌으로 들어왔을 때, 도브린은 판매점에서 무슨 일이 있었는지 이야기했다.

미라는 주의 깊게 들었다.

그러나 도브린은 딸의 얼굴이 점점 빨개지고, 밤을 닮은 듯한 눈동자가 야릇하게 빛나는 것을 알아차렸다.

"이 편지에 대해 뭔가 알고 있니?"

도브린이 진지하게 물었다.

"예" 미라는 부서지기 쉬운 힘없는 묘목처럼 서서 마루를 내려다보며 고백했다.

"정말?" 도브린은 믿지 못했다.

딸이 조용히 말을 꺼냈다.

"아빠, 엄마 없이 사신 지 벌써 3년입니다.

아빠는 스스로 모든 것을 돌보며 일하고 요리했습니다.

혼자 계셔서는 안 됩니다.

제가 편지를 썼습니다.

마르타 아주머니는 이웃 마을에 삽니다.

역시 혼자세요. 정말 좋은 분이고 교사입니다."

"어떻게 편지를 썼니?" 도브린은 이해하지 못했다.

"페이스북에서 아빠 이름으로 썼어요.

아빠 사진도 보내주었어요."

"페이스북에서?" 도브린은 중얼거렸다.

도브린은 페이스북을 사용하지 않고 쓰려고조차 않았다.
그러나 모든 것이 분명해졌다.
미라가 아빠를 위해 아내를 찾는다는 것을 전혀 짐작할
수도 없었다.

LA LETERO

Vendrede posttagmeze. Agrabla tago je la fino de la somero, varmeta kun febla vento. La ĉielo bluas kiel trankvila diafana lago. La arboj sur la stratoj similas al grandegaj verdaj ombreloj. Estas bone sidi sur benko sub la arboj kaj rigardi la homojn, kiuj paŝas sur la stratoj. Homoj, aŭtoj, bicikloj. Tamen Dobrin ne havas tempon sidi sur iu benko kaj iom ĝui la someran posttagmezon. Li eĉ ne rimarkas la sunon, kiu nun sinkas al la horizonto, simila al grandega kupra monero, kiu lante ruliĝas sur la blua sennuba ĉielo.

Antaŭ reveni hejmen post la fino de la labortago, Dobrin devas iri en la vendejon, en la apotekon aĉetadi kaj poste rapidi hejmen por prepari la vespermanĝon, ĉar Mira, la filino, revenos je la sepa horo el la lernejo. Estas kelkaj taskoj, kiuj bezonas tempon, sed la tempo flugas kaj Dobrin kuras post ĝi.

En la kvartala vendejo estas tumulto. La homoj staras en longa vico antaŭ la kasejo. Dobrin plenigas la korbon per nutraĵproduktoj kaj same ekstaras en la vico. Paciente li atendas kaj meditas pri la farendaĵoj, kiujn li plenumos hejme. Kiam li revenos, li tuj komencos prepari la vespermanĝon. Ĉi vespere li decidis kuiri spagetojn. Ja,

Mira ŝatas spagetojn.

Jam de tri jaroj, post la forpaso de Zora, la edzino, Dobrin aĉetadas, kuiras, lavas la telerojn, purigas. Li estas kaj la patro, kaj la patrino de Mira. Foje-foje li laciĝas, ne havas emon legi, spekti televidon, eĉ konversacii, sed al Mira li ne deziras montri, ke li estas laca. Dobrin konscias, ke same Mira ne fartas bone. Ja, por dek kvarjara knabino tute ne estas facile vivi sen patrino. Tial Dobrin ĉion faras, por ke Mira ne suferu kaj estu trankvila. Lia sola espero kaj senco en la vivo estas Mira. Li laboras, agas kaj kiam vidas la rideton de Mira, li kvazaŭ ekhavas flugilojn.

Mira lernas en la sepa klaso kaj Dobrin bone komprenas, ke nun ŝi bezonas lin. Nun li devas helpi ŝin, apogi ŝin, kuraĝigi ŝi. Mira vidas, ke Dobrin faras ĉion eblan por ke ili pli bone vivu kaj ŝi provas helpi lin. De tempo al tempo Mira kuiras, lavas, sed Dobrin ĉiam diras, ke por ŝi la plej gravas la lernado kaj ŝi estu bona lernantino.

Nesenteble la vico, antaŭ la kasejo, malaperis. Dobrin pagis la nutraĵproduktojn, ekstaris iom flanke en la vendejo kaj komencis meti ilin en la sakon. Proksime al li ekstaris virino, verŝajne samaĝa al li, kun bruna krispa hararo, varmaj kolombkoloraj okuloj, vestita en ruĝa jupo kaj en blanka bluzo. Ŝajne la virino ekridetis al Dobrin, sed li ne alrigardis ŝin, klinis kapon al la sako, por ke ŝi ne opiniu, ke li estas iu needukita aŭ impertinenta ulo.

La virino tamen staris kaj rigardis lin. Verŝajne ŝi atendis, ke Dobrin alparolu ŝin. Li maltrankviliĝis. "Ĉu mi konas ŝin, ĉu ŝi konas min? – demandis li sin mem. – Ne! Tute certe! Neniam mi vidis ŝin. Tamen ŝi daŭre rigardas min kaj pro afableco, mi devas saluti ŝin." Li ekis ekparoli, tamen la virino ekparolis antaŭ li:

-Saluton sinjoro Vaklinov.

Dobrin ekgapis kaj per larĝe malfermitaj okuloj alrigardis ŝin. Ja, ŝi scias lian nomon! Nekredeble, sed de kie?

Tuj li deziris demandi ŝin de kie ŝi scias lian nomon, tamen la virino denove ekparolis:

-Mi ricevis vian leteron, sed pardonu min, mi ne sukcesis respondi al vi.

Tiuj ĉi vortoj stuporigis lin. Dobrin pretis diri, ke ŝi eraras, sed ja, ŝi scias lian nomon. Tamen neniam li skribis kaj sendis leteron al virino. Nur kiam li estis lernanto, foje-foje li skribis leterojn al la knabino, kiun tiam li amis.

-Mi dankas vin pri la afablaj vortoj – daŭrigis la virino. – Same mi opinias, ke estos bone, ke iam ni iru al teatro aŭ al koncerto, kiel vi proponis.

Dobrin komencis ŝviti kaj stulte gapi la virinon. Kion ŝi

parolas: letero, afablaj vortoj, teatro, koncerto... Jam li estis tute ŝokita kaj nur tramurmuris:

-Ja, jes, jes...

-Ni daŭrigos korespondi kaj pliĝustigos kiam ni renkontiĝos – diris la virino, kiu eble rimarkis lian embarason. – Ĝis revido, sinjoro Vaklinov – kaj ŝi denove kare ekridetis al li.

Dobrin estis kiel ŝtonigita, tute ne komprenis kio okazis. Kiu estis tiu ĉi virino? Ĉu estis sonĝo aŭ miraklo? Ĝis nun li ne havis similan strangan travivaĵon.

Malrapide li ekiris, sed la penso pri la nekonata virino forte boris lian cerbon. Hejme Dobrin komencis kuiri la spagetojn. Mira revenis el la lernejo kaj kiam ŝi eniris la kuirejon, li rakontis al ŝi kio okazis en la vendejo. Mira atente aŭskultis lin, sed Dobrin rimarkis, ke ŝiaj vangoj iĝas pli kaj pli ruĝaj kaj ŝiaj okuloj, similaj al kaŝtanoj, ekbrilis ruzete.

-Ĉu hazarde vi scias ion pri tiu ĉi letero? – demandis Dobrin severe.

-Jes – konfesis Mira, staranta antaŭ li kiel rompebla senhelpa arbido, rigardanta la plankon.

-Ĉu? – ne kredis Dobrin.

-Paĉjo – ekparolis mallaŭte ŝi – jam tri jarojn ni vivas sen panjo. Vi mem zorgas pri ĉio, laboras, kuras. Vi ne devas esti sola. Mi skribis la leteron. Onklino Marta loĝas en la najbara loĝdomo. Ŝi ankaŭ estas sola. Tre bona virino ŝi estas, instruistino...

-Kiel vi skribis la leteron? – ne komprenis Dobrin.

-Mi skribis ĝin en Facebook je via nomo. Mi aperigis vian foton.

-En Facebook – tramurmuris Dobrin.

Li ne uzis Facebook kaj eĉ ne intencis uzi ĝin, tamen ĉio estis klara. Neniam li supozis, ke Mira serĉos al li edzinon.

어미 늑대

눈이 내렸다.

동굴 안에서 새끼 늑대들이 배고파서 울며 신음했다.

새끼 늑대들은 며칠 동안 이미 아무것도 먹지 못했다.

어미 늑대는 그들을 핥아 주고 뒤에 천천히 일어서서 나갔다.

하얀 달빛이 눈부시게 빛났다.

마치 어딘가 아주 멀리서 숲과 언덕 뒤에서 자매가 도움을 요청하여 부르듯 바람이 윙 하고 불었다.

이 겨울에 양식을 찾기는 위험하다.

그러나 고통스러운 우는 신음이 어미 늑대의 가슴에 크게 구멍을 뚫는다.

몸을 돌려 무거운 꼬리를 끌고 동굴로 돌아왔다.

새끼 늑대에게 가까이 갔다.

눈들이 어둠 속에서 작게 빛난다.

새끼 늑대들은 어미가 뭔가 먹을 것을 가지고 왔다고 짐작하여 곧 뛰어 왔다.

그리고 다시 더 세게 울며 신음했다.

어미 늑대는 달래려고 젖은 주둥이로 만져주며, 하얗고 사막 같은 겨울에 양식을 찾는 것이 불가능하다고 설명했다.

왜냐하면, 눈 속으로 두 걸음만 나가도 손에 총을 든 몹시 사나운 남자들이 늑대가 어디서 온 지, 새끼가 있는 동굴이 어디에 있는지 알게 될 것이다.

그러나 새끼들은 심하게 배고파 고통스럽기에 이것을 이해하지 못했다.

정말로 어미 늑대는 배고픔, 추위, 잔인하고 모르는 힘이 자주 돌같이 굳게 만드는 두려움, 이 모든 것을 견딜 수 있다. 그러나 고통스러운 우는 신음은 참을 수 없다.

새끼들을 위해 어미 늑대는 여러 시간 눈 위를 헤매거나, 먹이를 찾기 위해 개와 사나운 남자들과 싸우거나, 솜털같이 부드러운 두 마리 새끼들을 배부르게 하려고 준비했다.

어미 늑대는 아직도 엄마가 된 순간을 기억한다.

매우 간절하게 어미 늑대는 엄마가 되기를 원했다.

당시 일주일 내내 늑대들은 수풀, 들판, 풀밭을 헤맸다.

마침내 커다랗고 울창한 숲에 들어갔다.

많은 용감한 늑대들이 있었다.

밤에 어느 언덕 위에서 머리를 들고 크고 누런 달을 향해 도전하듯 소리를 질렀다.

아무것도 그들을 두렵게 할 수 없다고 매우 사나운 남자들에게 보여주고 싶었다.

밤새 무슨 일이 일어나리라고 생각했다.

늑대들은 날카롭고 푸른 눈으로, 마치 몸 안에서 불이 타듯이 암늑대를 쳐다보았다.

그러나 눈빛은 잔인하지 않았다.

눈에서 암늑대를 위해 무엇이든 할 준비성, 갈망함을 닮은 반짝임을 볼 수 있다.

그러나 암늑대는 교활했다.

늑대들의 소원을 알지 못하는 듯했다.

똑같은 불꽃이 암늑대의 몸을 빛나게 했다.

암늑대는 유혹하듯 꼬리를 움직이고 푸른 눈은 부드러운 독약 같았다.

이리저리 늑대들을 쳐다보았다.

늑대들의 마음은 소원과 부드러운 고통으로 가득 찼다.

삶에서 뭔가 새롭고 중요한 일이 시작되리라고 느꼈다.

오래전부터 반드시 일어나리라고 알고 있다.

참을성 없이 떨며 이 순간을 기다렸다.

지금 아주 빠른 강처럼 암늑대 속에 있는 모든 것이 중요한 순간으로 끌어당긴다.

아직 언제 어디에서 일어날지 모른다.

늑대 냄새를 맡자 끈처럼 긴장된 강한 늑대 몸이 암늑대를 유혹했다.

지금 늑대들은 예전보다 아름답고 빠르고 힘있게 보인다.

암늑대는 전에 결코 한 적이 없는 행동을 했다.

암늑대가 앞으로 달려가면 늑대들이 뒤따랐다.

때때로 암늑대는 머리를 돌려 늑대들을 쳐다보았다.

교활한 시선이 수수께끼처럼 유혹하는 불꽃 역할을 했다.

때때로 암늑대가 자기도 모르게 꼬리를 들면 뒤의 늑대들은 미친 듯했다.

공기는 뜨거워지고 포효하는 소리는 더욱 세져 고집스럽
고 참지 못했다.

그러나 모든 것이 단지 한순간이었다.

암늑대는 다리를 펴고 계속해서 달렸다.

마치 끝없이 파란 하늘을, 나서 자란 넓은 숲과 들판을
마지막으로 즐기려는 듯 달렸다.

나중에 무슨 일이 기다릴지, 지금처럼 자유롭고 걱정 없
을지 알지 못하기 때문이다.

지금 암늑대는 다시 급류, 수풀, 풀밭의 기적 같고 아주
아름다운 세상을 지나가기를 원했다.

암늑대 뒤에 있는 늑대들은 참을성이 없다.

미친 듯한 불꽃이 그들을 괴롭힌다.

언제 암늑대가 지쳐 멈출 것인지 기다렸다.

젊은 늑대들은 더 난폭했다.

결정적인 순간들을 미리 느꼈다.

마치 바람처럼 달리는 말을 재갈 시키려고 노력하는 기
수가 있는 것 같이, 그들 가슴 속에 광풍이 몰아친다.

오직 은색의 달빛으로 빛나는 울창한 숲 풀밭 위에 암늑
대는 멈춰 늑대들을 처다보았다.

늑대 중 젊고 힘센 두 마리가 암늑대에게 가까이 다가가
려고 했다.

그러나 암늑대의 날카로운 이빨이 칼처럼 빛나 그들을
멈추게 했다.

이 순간에 모든 늑대는 미친 듯이 서로 뛰면서 잔인한

싸움을 시작했다.

여러 울부짖는 소리가 자는 숲을 깨운다.

오직 차가운 달이 이 싸움의 유일한 말 없는 증인이다.

이빨을 갈고 털이 뽑히고 뜨거운 핏방울이 풀과 나뭇잎 위로 뿜어졌다.

암늑대는 지금까지 이런 잔인하고 피에 굶주린 싸움은 본 적이 없다.

마음속에는 불꽃이 탔다.

암늑대는 이 싸움이 자기와 관련된 것을 알았다.

가장 힘이 센 늑대 승리자가 암늑대를 상대할 것이다.

지금 암늑대는 어느 늑대가 죽기까지 싸워 이길지 보려고 기다렸다.

차례대로 늑대들은 싸움을 그만두고 상처를 핥기 위해 멀리 뛰어갔다.

정말 힘만이 누가 남을지 결정했다.

어떤 늑대들은 몸과 이빨을 들어보려고 한다.

충분히 힘이 세지 않다고 볼 때, 품위 있게 싸움터를 멀리 떠나갔다.

오직 두 마리, 구리색 털을 가진 늙은 늑대와 화강암처럼 회색 털을 가진 젊은 늑대만 남았다.

눈동자에는 뜨거운 갈망하는 불씨가 빛난다.

늙은 늑대는 평생 늑대를 이끌었다.

지금 두 마리 늑대가 서로 마주 보고 서 있다.

날카로운 이빨이 빛나고 격렬한 폭포처럼 울부짖었다.

울부짖음 속에는 이긴다는 준비성, 열정, 최고에 대한 노력, 능력, 잔인함, 미움과 악의가 있었다.

둘 다 지금 나무 옆에 서서 조용하게 지켜보고 있는 암늑대를 반드시 갖기 원했다.

둘은 서로를 훔쳐보았다.

피곤했지만 몸을 강철 칼처럼 뻗었다.

회오리바람처럼 서로를 향해 뛸 준비를 했다.

암늑대는 움직이지 않고 그들을 바라보면서 승자를 기다렸다.

젊은 늑대는 힘이 더 세고 간헐천처럼 피가 끓고 있는데, 늙은 늑대는 더 교활하고 능숙하다.

젊은 늑대보다 많은 경험이 있다.

적당한 순간을 찾아 젊은 늑대를 숨어 기다리다 갑자기 뛰어 날카로운 이빨과 발톱을 칼처럼 적의 몸뚱이에 넣을 수 있다.

늙은 늑대는 어느 쪽에서 공격해 올지, 위험을 피할지 경험으로 미리 알 수 있다.

늑대들은 서로 쳐다보았다.

두 개의 장전된 활을 닮았다.

눈에서는 독을 비추고 있다.

뛸 준비가 되었다.

암늑대는 늑대가 갑자기 뛰어 몸을 쥐어짜는 것을 보았다.

잔인한 포효소리가 조용함을 갈랐다.

늑대의 몸은 두 개의 공처럼 변했다.

몇 초 동안 서로 멀어졌다가 이윽고 곧 다시 이빨과 발톱을 집어넣었다.

뜨거운 피가 흘렀다.

늙은 늑대가 넘어졌다.

젊은 늑대가 뛰어 늙은 늑대의 몸을 물어뜯기 시작했다.

암늑대는 긴장이 풀어졌다.

늙은 늑대는 작은 피의 늪에 누워있다.

암늑대를 쳐다보고 싶지도 않았다.

마치 부끄러운 듯했다.

마지막으로 커다란 유리 눈을 닮은 달을 쳐다보았다.

달은 이 마지막 잔인한 싸움의 증인이다.

늙은 늑대의 흐릿한 눈앞에 모든 삶이 지나간다.

커다란 숲으로 혼자 다니기 시작한 때, 사냥에 성공한 때, 처음 사랑한 순간, 젊은 순간, 지금까지 승리의 날부터 여기 져서 쓰러진 지금까지.

젊은 늑대는 깊이 숨 쉬고 암늑대 앞에 섰다.

눈빛에는 열정, 갈망, 힘, 암늑대의 뜻에 따르려는 준비성이 있다.

암늑대는 헌신, 따뜻함, 감사의 마음으로 젊은 늑대를 보고 천천히 깊은 숲으로 들어갔다.

젊은 늑대가 그 뒤를 따랐다.

암늑대가 자기 속에서 새 생명이 깨어난 것을 느낄 때 더욱 조심스럽고 더욱 주의해서 세계를 살피기 시작했다.

암늑대는 용감했지만, 이 생명을 위협하게 하는 어떤 행동도 지금은 하지 않는다.

암늑대는 새끼를 낳기 위해 오랫동안 숨을 만한 곳을 찾아 마침내 이 동굴을 찾아냈다.

암늑대는 새끼를 낳았다.

피곤하고, 땀 흘리고, 모든 것을 다 쏟아낸 어미 늑대는 새끼들의 우는 신음을 들었다.

기적 같은 빛이 비치며 달콤한 고통이 몸에 느껴졌다.

이 순간 삶에서 가장 중요한 행동을 한 것으로 보였다.

정말 이것 때문에 지금까지 살았다.

어미 늑대는 기뻤다.

하지만 이 기쁨이 길게 가지 못했다.

왜냐하면, 새끼 늑대에게 먹을 것이 필요했기 때문이다.

지금 따뜻한 엄마 몸 옆에서 놀지만, 곧 배가 고플 것이다.

이미 일주일 내내 눈이 왔다. 모든 것이 하얗다.

얼음 같은 바람이 기분 나쁘게 윙 소리를 내며 웃었다.

눈 때문에 어미 늑대는 갇혀있고 동굴 밖으로 나갈 수 없다.

정말로 바람은 늑대의 냄새를 멀리까지 실어나른다.

하지만 새끼들의 울음 신음이 어미 늑대를 슬프게 만든다.

조금씩 어미 늑대는 용기를 낸다.

반드시 나가서 새끼들을 위해 먹을 것을 찾아야 한다.

새끼들을 위해 아침부터 밤까지 헤맬 준비를 했다.

어미 늑대는 새끼들에게 경고하듯 짖었다.

새끼들은 동굴 안에서 조용해졌다.

어미 늑대는 새끼들을 쳐다보고 나갔다.

밖에서 둘레를 살피고 주둥이를 들고 냄새 맡기 시작했다.

지금 천천히 조심스럽게 걸어가야 했다.

어미 늑대는 어떤 먹을 것이라도 발견하리라고 확신했다.

항상 뭔가 발견하기에 성공했다.

힘이 나는 것을 느꼈다.

정말 어두운 동굴에서 두 마리 약한 새끼들이 기다릴 것이다.

새끼들을 먹이고 돌보아야만 한다.

어미 늑대는 수풀 속으로 밀고 들어가 나무 사이로 지나갔다. 그림자처럼 조용하게 걸어갔다.

냄새를 맡고, 둘레를 살피고, 어떤 위험이 닥치면 활처럼 뛰어갈 준비를 했다.

마침내 찾고 있던 양의 냄새를 맡기 시작했다.

양들이 가깝지는 않지만 어디에 있는지 냄새가 알려준다.

어미 늑대의 피가 끓기 시작한다.

더욱 자세히 살폈다.

소용없는 것은 아무것도 없다.

정말로 강하고 철 같은 몸에 송곳처럼 날카로운 이빨, 어미 늑대는 달리기 시작했다.

지금 불과 천둥을 가진 아주 사나운 남자라도, 양의 우리에 있는 개들도 어미 늑대가 두렵게 할 수 없다.

개는 약하고 작게 보인다.

어미 늑대는 양 우리의 울타리를 뛰어넘어, 조용히 잔칫상이 기다리는 안으로 들어가야 한다.

아직 몇 미터 남았다.

그러나 개가 알아차리고 미친 듯 짖기 시작했다.

정말로 어미 늑대 앞에 나타날 용기는 없었다.

그러나 무슨 일이 생겼다.

개들이 어미 늑대를 향해 뛰어왔다.

어미 늑대는 멈췄다.

싸우기로 했다.

새끼들 때문에 어미 늑대가 무엇이 나타나든 찢어 버리리라 준비된 것을 개들은 모른다.

자기 목숨은 가치가 없고 새끼 늑대는 살아야만 한다.

어딘가에서 불과 천둥을 가진 남자가 나타났다.

복수에 얽매여 어미 늑대는 남자에게 뛰어갔다.

개가 사납게 짖었다.

남자는 나뭇가지를 닮은 무언가를 들고 천둥소리를 냈다.

어미 늑대는 쓰러졌다.

곧 뛰어가 자신을 살려야 할 것처럼 보였다.

돌아가지 않으면 새끼들은 죽을 것이다.

깊은 슬픔을 느꼈다.

두 번째 천둥소리가 났다.

어미 늑대의 몸 아래 따뜻한 피의 작은 늪이 생겼다.

하늘을 쳐다보고 움직이지 않고 누워있던 늙은 늑대를 기억했다. 회색의 화강암 같은 젊은 늑대를 기억했다.

지금 몇 초 동안 어미 늑대의 모든 삶이 눈앞에 지나갔다. 마지막에는 두 마리 새끼의 죄 없는 눈을 보았다.

LA LUPINO

Neĝis. En la truo la lupetoj plorĝemis malsataj. Kelkajn tagojn jam ili manĝis nenion. La lupino lekis ilin kaj poste malrapide ĝi ekstaris kaj eliris. Ekstere blindigis ĝin la arĝenta lumo de la luno. Siblis vento, kvazaŭ ie tre malproksime, malantaŭ arbaroj kaj montetoj, ĝia fratino vokis ĝin por helpo. Dum tiu ĉi vintro estis danĝere serĉi nutraĵon, sed la turmenta plorĝemo de la lupetoj boris truon en la brusto de la lupino. Ĝi turnis sin, movis sian pezan voston, revenis en la truon kaj proksimiĝis al la lupetoj. Iliaj okuloj fajretis en la mallumo. La lupetoj tuj saltis, supozantaj, ke la patrino portas ion por manĝi kaj denove pli forte ili plorĝemis. La lupino tuŝis ilin per sia malseka buŝego por trankviligi ilin kaj klarigi, ke en tiu blanka vintra dezerto ĝi ne povas serĉi nutraĵon, ĉar se ĝi farus eĉ du paŝojn sur la neĝon, la teruregaj viroj, kiuj havas mane la fajron kaj la tondrojn ekscios de kie ĝi venis kaj kie troviĝas la truo, en kiu estas ĝiaj idoj. Tamen la lupetoj ne komprenis tion, ili suferis pro la dolora malsato. Ja, la lupino povis ĉion elteni: la malsaton, la froston, la timon, kiu ofte ŝtonigis ĝin kiel terura kaj nekonata forto, sed ĝi ne povis elteni tiun ĉi doloran plorĝemon. Por la lupetoj, la lupino pretis dum horoj vagi sur la neĝon, batali kun hundoj kaj kun la terurigaj viroj, sed trovi nutraĵon kaj satigi du lanugmolajn pilketojn.

La lupino ankoraŭ memoris la momenton, kiam ĝi iĝis patrino. Tre forte la lupino deziris esti patrino. Tiam dum tuta semajno la luparo vagis tra arbaroj, kampoj, herbejoj. Fin-fine la luparo eniris grandan densan arbaron. Estis multaj kuraĝaj lupoj. Nokte ili staris sur iu monteto, levis kapojn kaj provoke hurlis al la granda flava lunokulo. La lupoj deziris montri al la teruregaj viroj, ke nenio timigos ilin. Tiam , dum tiuj noktoj, la lupino eksentis, ke io okazas al ĝi.

Per siaj akraj verdaj pupiloj la lupoj tiel rigardis ĝin, kvazaŭ en la lupaj korpoj brulis fajro. Tamen la rigardoj de la lupoj ne estis kruelaj. En iliaj okuloj videblis ia brilo, io simila al soifo aŭ al preteco fari ĉion por la lupino, sed la lupino estis ruza. Ĝi ŝajnigis, ke ne komprenas la deziron de la lupoj. La sama fajro bruligis ĝian korpon. La lupino alloge movis sian voston, ĝiaj verdaj okuloj estis kiel dolĉa veneno. La lupino rigardis aŭ tiun, aŭ alian lupon kaj iliaj koroj plen-plenis pro deziro kaj dolĉa doloro.

La lupino sentis, ke en sia vivo komenciĝas io nova kaj grava. Ĝi delonge siciis, ke tio nepre okazos. Senpacience

- 46 -

kaj treme la lupino atendis tiun ĉi momenton. Nun la tuta memo de la lupino kiel rapidega rivero tiris ĝin al tiu ĉi grava momento. La lupino ankoraŭ ne sciis kiam kaj kie ĝi okazos. La lupino flaris la lupan odoron kaj la fortaj lupaj korpoj, streĉitaj kiel kordoj, allogis ĝin. Nun la lupoj aspektis pli belaj, pli rapidaj kaj pli fortaj. La lupino agis tiel kiel neniam antaŭe. Ĝi kuris antaŭen kaj la lupoj sekvis ĝin. De tempo al tempo la lupino turnis kapon kaj rigardis ilin. En ĝia ruza rigardo ludis enigmaj allogaj fajreroj.

De tempo al tempo la lupino nevole levis voston kaj la luparo malantaŭ ĝi freneziĝis. La aero iĝis arda, la hurlo – pli forta, pli insista kaj malpacienca. Tamen ĉio estis nur por momento. La lupino streĉigis krurojn kaj daŭrigis kuri. Ĝi kuris kvazaŭ deziris lastan fojon ĝui la senliman bluecon de la ĉielo, la vastecon de la kampoj, la arbarojn, kie ĝi naskiĝis kaj kreskis. Nun la lupino deziris denove trapasi tiun ĉi miraklan kaj belegan mondon de torentoj, arbustoj, herboj, ĉar ĝi ne sciis kio atendas ĝin poste kaj ĉu ĝi estos libera kaj senzorga kiel nun.

La lupoj malantaŭ ĝi ne havis paciencon. La freneza fajro turmentis ilin. Ili atendis kiam la lupino haltos laca. La junaj lupoj estis pli senbridaj. Ili antaŭsentis la decidan momenton. En iliaj brustoj tempestis, kvazaŭ tie estis rajdanto, kiu pene bridis galopantan kiel venton ĉevalon.

Sur herbejo, en densa arbaro, lumigita nur de la arĝenta luna torento, la lupino haltis kaj rigardis la lupojn. Du el ili, junaj kaj fortaj, provis proksimiĝi al ĝi, sed ĝiaj akraj dentoj ekbrilis kiel ponardoj kaj haltigis ilin. En tiu ĉi momento ĉiuj lupoj saltis unu kontraŭ alia kiel frenezaj kaj komenciĝis kruela batalo. Ululoj, hurloj, muĝadoj vekis la dormantan arbaron. Nur la frida luno estis la sola muta atestanto de la batalo. Grincis dentoj, disŝiriĝis feloj, varmaj sangaj gutoj surŝprucis la herbon kaj la foliojn. La lupino neniam ĝis nun vidis tian kruelan sangavidan batalon. En ĝia koro brulis fajro. La lupino konsciis, ke la batalo estas pri ĝi. La plej forta lupo, la venkinto obsedos ĝin. Nun la lupino atendis por vidi kiu lupo batalos ĝis la morto kaj venkos. Unu post la alia la lupoj rezignis kaj forkuris malproksimen por leki siajn vundojn. Ja, la forto decidis kiu restu. Iuj lupoj elprovis siajn korpojn, dentojn kaj kiam ili vidis, ke ne estas sufiĉe fortaj, ili digne forlasis la batalon.

Restis nur du lupoj – maljuna, kun kuprokolora felo, kaj juna – grizkolora kiel granita roko. En ĝiaj pupiloj flamis ardaj soifaj fajreroj. La maljuna lupo gvidis la luparon tutan jaron. Nun du lupoj ekstaris unu kontraŭ la alia. Iliaj akraj dentoj brilis kaj ili muĝis kiel impetaj akvofaloj. En ilia muĝado estis preteco venki, estis pasio, strebo al supereco, potenco, kruelo, malamo kaj malico. Ĉiu el du deziris nepre gajni la lupinon, kiu nun staris ĉe arbo kaj trankvile observis ilin. Ambaŭ lupoj ŝtelrigardis unu la alian. Ili estis lacaj, sed streĉigis la korpojn kiel ŝtalajn glavojn. Ili estis pretaj salti unu kontraŭ la alia kiel tempestoj.

La lupino senmove rigardis ilin kaj ĝi atendis la venkinton. La juna lupo estis pli forta, ĝia sango bolis kiel gejsero, sed la maljuna lupo estis pli ruza kaj pli lerta. Ĝi havis pli da sperto ol la juna. La maljuna povis atendi la oportunan momenton, ĝi povis embuski la junan kaj subite salti kaj enigi siajn akrajn kiel sabrojn dentojn kaj ungojn en la korpon de la malamiko. La maljuna spertis antaŭvidi de kiu flanko estos atakita kaj eviti la danĝeron.

La lupoj rigardis unu la alian. Ili similis al du streĉitaj pafarkoj. Iliaj okuloj radiis venenon. Ili estis pretaj salti. La lupino vidis, ke subite la lupoj eksaltis kaj enplektis siajn korpojn. Terura muĝado trančis la silenton. La lupaj korpoj turniĝis kiel du pilkoj. Por sekundo ili malproksimiĝis unu de alia kaj poste tuj ili denove enigis dentojn kaj ungojn. Fluis varma sango. La maljuna lupo stumblis, falis. La juna saltis kaj ekmordis ĝian traĥeon.

La lupino maltreĉiĝis. La maljuna lupo kuŝis en sanga marĉeto. Ĝi ne deziris alrigardi la lupinon. La maljuna lupo kvazaŭ hontis. Lastfoje ĝi alrigardis la lunon, kiu similis al grandega vitreca okulo. La luno estis atestanto de ĝia lasta kruela batalo. Antaŭ la nebuleca rigardo de la maljuna lupo trapasis ĝia tuta vivo: de la tago, kiam ĝi komencis vagi sola tra la granda arbaro, kiam ĝi sukcese ĉasis, kiam estis ĝiaj unuaj amaj momentoj, momentoj de jubilo kaj venkoj ĝis nun, kiam ĝi falis venkita ĉi tie.

La juna lupo, peze spiranta, ekstaris antaŭ la lupino. En ĝia rigardo estis pasio, soifo, forto, preteco subiĝi al la volo de la lupino. La lupino alrigardis ĝin per sindonemo, varmeco, dankemo kaj malrapide eniris la densan arbaron. La juna lupo postsekvis ĝin.

Kiam la lupino eksentis, ke en ĝia interno vekiĝas nova vivo, ĝi komencis esti pli singardema kaj pli atente observis la mondon. La lupino estis kuraĝa, sed nun ĝi ne entreprenis ion, kio minacos ĝian vivon. La lupino longe serĉis kaŝitan lokon por naski siajn idojn kaj fin-fine ĝi trovis tiun ĉi truon.

La lupino naskis. Laca, ŝvita elĉerpita la lupino aŭdis la plorĝemojn de siaj idoj. Mirakla lumo lumigis ĝin kaj dolĉa doloro trakuris tra ĝia korpo. En tiu ĉi momento ŝajnis al ĝi, ke ĝi faris la plej gravan agon en sia vivo. Ja, pro tio ĝi vivis ĝis nun. La lupino estis ĝoja, tamen ĝi sentis, ke tiu ĉi ĝojo ne daŭros longe, ĉar por la lupetoj necesis nutraĵo. Nun ili ludis ĉe ĝia varma korpo, tamen baldaŭ ili estos malsataj.

Jam tutan semajnon neĝis. Ĉio estis blanka. La glacia vento malice sible ridis. Pro la neĝo la lupino estis en kaptilo kaj ne povis eliri el la truo. Ja, la vento portos fore ĝian lupan odoron. Tamen la plorĝemoj de la lupetoj malĝojigis ĝin. Iom post iom la lupino ekkuraĝis. Ĝi nepre devis eliri kaj serĉi nutraĵon por la lupetoj. Por la idoj ĝi pretis vagi de matene ĝis vespere.

La lupino averte ekmuĝis al la lupetoj. Ili silentiĝis en la truo. La lupino alrigardis ilin kaj eliris. Ekstere ĝi ĉirkaŭrigardis, levis buŝegon kaj komencis flari. Nun ĝi devis iri malrapide kaj singardeme. La lupino certis, ke trovos ion nutraĵon. Ĉiam ĝi sukcesis trovi ion. Ĝi eksentis fortojn. Ja, en la malhela truo atendos ĝin du malfortaj lupetoj. Ĝi devas nutri ilin kaj zorgi pri ili.

La lupino ŝovis sin tra arbustoj, pasis preter arboj. Ĝi paŝis silente kiel ombro. La lupino flaris, ĉirkaŭrigardis kaj estis preta forkuri kiel sago, se estos ia danĝero. Fin-fine ĝi ekflaris tion, kion ĝi serĉis – odoron de ŝafoj.

La ŝafoj ne estis proksime, sed la odoro montris kie ili troviĝas. La sango de la lupino ekbolis. Ĝia rigardo iĝis pli akra. Jam nenio malhelpos ĝin. Ja, ĝia korpo estis forta, ŝtala, ĝiaj dentoj – akraj kiel pikiloj. La lupino ekkuris. Nun eĉ la terurega viro kun la fajro kaj la tondro ne timigos ĝin, nek la hundoj en la ŝafejo. Ŝajnis al ĝi, ke la hundoj estas malfortaj kaj malgrandaj.

La lupino devis nur trasalti la barilon de la ŝafejo kaj silente eniri enen, kie atendis ĝin festeno. Jen, restis ankoraŭ klekaj metroj, sed la hundoj eksentis ĝin kaj komencis freneze boji. Ja, ili ne kuraĝis aperi antaŭ la lupino. Tamen io okazis. La hundoj ekkuris kontraŭ ĝi. La lupino haltis. Ĝi decidis bataliu kun ili. Ja, ili ne scias, ke pro la lupetoj la lupino pretas disŝiri ĉion, kio aperos antaŭ ĝi. Ĝia vivo ne valoras, la lupetoj devas vivi.

De ie aperis viro kun fajro kaj tondro. La lupino, obsedita de venĝo, ekiris al li. La hundoj bojis terure. La viro levis ion, similan al branĉo kaj ĝi ektondris. La lupino falis. Verŝajne ĝi devis tuj forkuri, devis savi sin. Se ĝi ne revenos, la lupetoj pereos.

La lupino eksentis pezan triston. Aŭdiĝis dua tondro. Sub la korpo de la lupino iĝis varma sanga marĉeto. La lupino rigardis la ĉielon kaj rememoris la maljunan lupon, kiu kuŝis senmova. La lupino rememoris la junan lupon, kiu similis al griza granita roko. Nun dum sekundoj la tuta vivo de la lupino pasis antaŭ ĝi. Laste ĝi vidis la senkulpajn okulojn de du lupetoj.

책-구원자

오전에 프랑스 도시 리모지노에 도착했다.
내 친구 이사벨과 피에르가 나를 기다렸다.
부부의 집은 도시에서 약 10킬로 떨어진 그림 같은 곳에
있었다.
1층 넓은 방에서 커피를 마시는 동안 수많은 책이 있는
커다란 책장을 바라보았다.
가장 높은 선반 위에서, 턱수염이 있고 커다란 여행 가
방을 들고 고속도로에 앉아있는 중년의 남자 사진을 보
았다.
이 사진을 보다가 이사벨에게 '이 남자가 누구냐'고 물었다.
매우 재미있는 역사를 이야기하기 시작했다.

몇 년 전 우리 부부는 차로 이웃 도시 브리보에서 리모
지노로 왔어요.
차도에서 이 남자를 보았지요.
우리는 자동차를 얻어 타고 여행한다고 생각하고 차를
세워 '어느 방향으로 가느냐'고 물었어요.
'정처 없이 여행한다'고 대답하더군요.
우리는 놀랐어요.
그 남자는 검은 곱슬머리에 깊고 어두운 눈을 가진 45세
정도였어요.
눈빛으로 슬픔과 절망을 엿볼 수 있었지요.

어느 도시로 데려다준다고 제안했어요.

처음에는 우리를 귀찮게 하지 않으려고 거절했으나 나중에 제안을 받아들여 차에 올라탔어요.

가는 동안, 누구며 어디에서 왔고 왜 목적 없이 다니는지 매우 알고 싶었어요.

참지 못하고 물었지요.

천천히 간신히 말하기 시작했어요.

누군가에게 말할 필요를 느낀 듯 보였어요.

'부인이 갑자기 죽었다'고 말했죠.

자녀는 없었어요.

아내의 죽음이 그 남자를 깨부쉈어요.

우울해지고 절망에 빠졌죠.

"자살할 수조차 없었어요. 아내가 죽고 난 후 집안의 모든 것, 가구, 물건, 옷, 그런 것들이 아내를 생각나게 했지요. 잘 수도 없었고 먹을 수도 없어 갑자기 집을 떠나기로 마음먹었지만 어디로 갈지 알지 못했어요. 한 달 이상 고속도로와 찻길 위에서 혼자 헤맸지요."

우리는 같이 살자고, 그를 도우려고 그 남자를 집으로 초대했어요.

1년간 우리 집 여기에 살았지요.

2층에 묵었던 방이 있어요.

우리와 함께 있어 혼자라고 느끼지는 않았어요.

나는 인생, 사랑, 고통, 나라에서 찻길을 따라 헤매는 심정을 표현한 책을 쓰라고 제안했어요.

그렇게 하면 고통을 이겨내리라고 믿었죠.
그리고 정말 책을 쓰기 시작했어요.
몇 달 뒤 그 남자는 말했어요.
"이사벨, 피에르 정말 감사해요. 책을 다 썼으니 떠날게
요. 출판사를 찾을게요."
큰 여행 가방을 들고 떠났어요.
반년 뒤 우리는 책을 받았어요.
이사벨이 책을 보여주었는데 제목이 '나의 길'이었다.
우리는 그 사람을 결코 잊을 수 없을 거예요.

이사벨이 말했다.
나는 다시 큰 여행 가방을 가진 검은 눈의 남자 사진을
쳐다보았다.
사진에서 그 남자는 찻길에 앉아있는데, 나는 오래된 옛
친구처럼 함께 여행하는 그 남자와 이사벨과 피에르를
보고 있는 듯 느꼈다.

LA LIBRO-SAVANTO

Antaŭtagmeze mi venis en la francan urbon Limozino. Atendis min miaj geamikoj Isabelo kaj Piero, kies domo estas je ĉirkaŭ dek kilometroj de la urbo en pitoreska ĉirkaŭaĵo. Dum ni trinkis kafon en la vasta ĉambro sur la unua etaĝo de la domo, mi rigardsis ilian grandan libroŝrankon kun sennombraj libroj kaj sur la plej supra breto mi vidis foton de viro, mezaĝa kun barbo, kiu sidas ĉe aŭtovojo kaj ĉe li estas lia granda vetursako. Tiu ĉi foto vekis mian atenton kaj mi demandis Isabelon kiu estas tiu ĉi viro. Ŝi komencis rakonti tre interesan historion:

"Antaŭ kelkaj jaroj Piero kaj mi veturis aŭte de la najbara urbo Brivo al Limozino kaj sur la ŝoseo ni rimarkis tiun ĉi viron. Ni opiniis, ke li petveturas, ni haltigis la aŭton kaj demandis lin al kiu direkto li veturos? Li respondis, ke li veturas sendirekte. Tio mirigis nin. La viro estis ĉirkaŭ kvardek kvinjara kun nigra krispa hararo kaj profundaj malhelaj okuloj. De lia rigardo gvatis tristo kaj malespero. Ni proponis al li veturigi lin al iu urbo. Unue li rezignis, dirante, ke li ne deziras ĝeni nin, sed poste li akceptis nian proponon kaj eniris la aŭton.

Dum ni veturis, mi estis tre scivola ekscii kiu li estas, de kie li estas kaj kial li veturas sendirekte. Mi ne eltenis kaj demandis lin. Li komencis malrapide pene paroli. Videblis, ke li sentis bezonon paroli kun iu. Li diris, ke lia edzino subite mortis. Ili ne havis infanojn. Ŝia forpaso frakasis lin. Li deprimiĝis kaj senesperiĝis. Eĉ li provis mortigi sin. Post la morto de la edzino ĉio en la domo memorigis lin pri ŝi – la mebloj, la aĵoj, la vestoj... Li ne povis dormi, ne povis manĝi kaj subite li decidis ekiri, forlasi la domon, sed kien – li mem ne sciis. Pli ol unu monato li vagis sola sur la aŭtovojoj kaj ŝoseoj.

Mi kaj Piero invitis lin veni hejmen, loĝi ĉe ni kaj ni provis helpi lin. Dum unu jaro li loĝis ĉi tie, en nia domo. Sur la dua etaĝo estas ĉambro, en kiu li dormis. Li estis kun ni kaj li ne sentis sin sola. Mi proponis al li verki libron, en kiu li priskribu siajn vivon, amon, suferojn, la vagadon tra la landaj vojoj... Mi certis, ke tiel li venkos la ĉagrenon. Kaj li vere komencis verki libron.

Post kelkaj monatoj li diris: "Isabelo, Piero, mi kore dankas vin. Mi finverkis la libron kaj mi foriros. Mi serĉos eldoniston. Li prenis sian grandan vetursakon kaj foriris.

Post duonjaro ni ricevis la libron. Jen ĝi – kaj Isabelo montris al mi la libron, kies titolo estis "Mia vojo". – Ni neniam forgesos lin – diris ŝi."

Mi denove alrigardis la foton de la nigrookula viro kun la granda vetursako. Sur la foto li estis sidanta ĉe ŝoseo kaj ŝajnis al mi, ke kvazaŭ mi vidis lin, Isabelon kaj Pieron, veturantajn kune kiel malnovaj veraj geamikoj.

춤추는 천사

다나는 어릴 때부터 벌써 춤을 추었다.

음악을 들으면 곧장 일어나, 몇 걸음 걷고, 마치 지구 밖의 신비로운 힘이 이끌듯이 춤추기 시작했다.

마른 몸은 불꽃처럼 휘어지고, 부드러운 다리는 땅을 닿지도 않고, 팔은 날개처럼 떨리고, 긴 머리카락은 파도 같고, 커다란 눈은 기적 같은 불을 비춘다.

놀랍고 마술 같은 힘이 다나의 춤 안에 있다.

누구나 춤추는 것을 보면 반하여 움직이지 않고 쳐다본다.

춤을 추면 부드러운 바람이 아름다운 다리, 하얀 넓적다리, 뼈가 없는 듯한 모든 몸을 어루만진다.

신기루와 같다.

음악은 나무에서 떨어지는 가을 잎처럼 부드럽게 날게 한다.

다나의 춤은 여자 요정처럼 센 바람 같고 열정적이며 그리움처럼 쉽게 움직이고 가볍다.

모든 발걸음, 모든 움직임이 시냇물 소리처럼 가락 있고 시적이다.

매우 어려서 다나는 고향 집을 떠나 행복을 찾아 나갔다.

처음에 공연장 '아레노'에서 공연순서들 사이 쉬는 동안에 춤을 추었다.

공연장에서 인도 사람이 뱀들을 길들여 피리를 불면 상자에서 뱀이 나오며 가락에 맞추어 춤을 춘다.

뱀들과 함께 다나가 춤을 춘다.

어느 쪽이 더 인상적인지, 뱀인지 다나인지 말할 수 없을 정도다.

다나의 몸은 갈대처럼 휘어지고 눈 속의 불꽃은 관객을 끌어당긴다.

공연단과 함께 전국을 다녔다.

도시와 마을을 지나갔다.

다나의 삶은 끝없이 즐거운 춤과 같다.

밤낮으로 춤을 추었다.

놀랄만한 춤이 사람뿐만 아니라 동물까지도 흘린다고 말했다.

춤을 추면 우리의 호랑이도 집고양이처럼 조용해진다.

원숭이는 함께 춤추며 동작을 따라 한다.

공연장에서 소유주 피에르부터 마술(馬術) 연습장 일꾼까지 다나를 사랑했다.

다나는 공연장에서 가장 어릴 뿐만 아니라 가장 즐겁고 모두를 행복하게 해 준다고 모든 사람이 말한다.

다나 덕분에 항상 공연장은 다나의 춤을 보러 사람들이 가득 찼다.

결코, 전에는 공연 내용이 그렇게 성공적이지 못했다.

2년 뒤 다나는 공연장을 떠났다.

왜 떠났는지 아무도 모른다.

그때 공연단은 바닷가 도시를 돌며 다녔기에 바다가 유혹했을 것이다.

분명 끝없이 파란 바다, 따뜻한 황금 모래, 파도의 살랑거리는 소리가 머물도록 했는지, 아니면 바다에서 마음을 유혹하는 누구를 만나 사랑에 **빠졌는지** 모른다.

어느 밤, 잠을 자는 미니버스에서 조용히 나가 사라졌다. 얼마 뒤 어느 산골 마을에서 뜨거운 숯 위에서 춤을 주는 것을 보았다고 했다.

이 나라 어느 산골 마을에는 그런 의식이 있다.

젊은 아가씨가 숯 위에서 맨발로 춤을 춘다.

이 춤을 본 외국 사람들은 속임수나 마술이라고 말한다.

그러나 다나는 숯 위에서 춤추고 모든 사람은 황홀하게 보고 있다.

정말로 다나는 신의 의식을 수행하는 여사제 같다.

어깨까지 늘어진 검은 머리카락에 길고 하얀 옷, 별을 바라보는 눈길, 다나는 밤하늘에 있는 불타는 혜성 같다.

하얀 맨발 아래서 꿈, 갈망, 사랑, 매력의 불꽃이 빛난다.

한 번은 숯 위에서 춤추는 동안, 부르고라는 도시에서 제일 부자인 알로조 씨의 호텔에서 일하는 두 젊은이 로코와 미코가 다나를 보았다.

'우리 사장은 곧 생일잔치를 할 것이다. 거기서 이 춤추는 아가씨가 춤추어야 한다.

주인에게 큰 선물이고 유쾌한 놀람을 줄 것이다.'

춤이 끝났을 때 다나를 붙잡고 검은 차로 들어가게 했다.

저항할 수 없었다.

정말로 마르고 부드러웠다.

호텔 '바다의 바람 소리'로 데려가서 방에 가두었다.

다나는 왜 이리로 데려왔는지 무슨 일이 일어났는지 알지 못한 채 침대 위에 앉아있다.

혼자라 놀라워서 울었다.

항상 춤추고 웃었지만, 지금은 새장에 갇힌 새 같아서 슬프게 울었다.

다나는 너무 무서웠다.

문이 잠긴 채 방에 혼자 있다.

방이 넓고 TV, 냉장고, 커다란 침대가 있는데 화려하게 가구가 있음에도 불구하고 숨이 막혔다.

욕실에 있는 욕실 대야가 저수지 같다.

다나는 거울 앞에서 구리같이 빛나는 얼굴, 검은 눈에 길고 검은 머리카락을 가진 자신을 보고 믿지 못한다.

쳐다보고 놀랐다.

지금까지 어쩌다 한번 거울을 보았지만, 눈빛이 그렇게 센지 믿지 못했다.

요정을 닮았다.

지루해서 춤을 추려고 했지만, 새장에서는 출 수 없었다.

마음은 두려워 떠는 참새처럼 눌렸고, 팔은 도끼로 찍힌 듯하고, 다리는 마루판에 못 박힌 듯 느껴졌다.

움직일 수조차 없었다.

마비된 듯 느껴졌다.

더욱 크게 울었다.

뜨거운 눈물이 작은 강처럼 흘렀다.

침대는 편안하고, 부드럽고, 꽃냄새가 났지만 밤새도록
잠을 못 이루었다.

다음 날 두 명의 힘센 젊은이가 왔다.

호텔의 식당으로 안내했다.

주로 우아하고 유행하는 옷차림의 남녀 젊은이들이 먹고
마시고 즐겼다.

식당 가운데에는 빛으로 세게 밝혀진 연단이 있다.

거기에 차례대로 노래하는 남녀가수가 서 있다.

소매 없이 긴 빨간 옷의 아가씨가 알렸다.

"사랑하는 알로조 씨를 위해, 생일잔치를 맞아 큰 놀람
이 있을 것입니다. 진짜 요정이 춤을 출 것입니다."

다나는 연단으로 떠밀려 조명 아래 섰다.

마르고 두려움에 떠는 다나는 야생의 작은 동물 같다.

검은 머리카락에 하얀 옷을 입고 맨발의 다나는 요정 같
다. 센 빛이 눈을 부시게 하여 아무것도 볼 수 없다.

식당에 앉아있는 알로조 씨가 누군지, 왜 모두가 존경하
고 머리 숙이는지, 다나는 전혀 모른다.

갑자기 음악 소리가 나자 본능적으로 춤추기 시작했다.

자신이 어디에 있는지 자신 둘레에 사람들이 있는지 잊
어버렸다.

마법에 걸린 듯 춤을 추었다.

식당 안에는 깊은 조용함이 가득했다.

다나는 달과 별 아래 어두운 숲에서 풀밭 위에 혼자인
듯 춤을 추었다.

주변에는 나무가 있고 나무 뒤에는 다나를 노리는 짐승이 있는 듯 보인다.

어두운 식당 안에는 야생동물의 눈동자처럼 오직 담뱃불만 작게 빛난다.

조용한 가을 바다의 파도처럼 음악이 흐른다.

얼마동안이나 춤을 추었는지 말할 수 없지만, 음악이 멈추자 식당 안은 함성이 천둥 치듯 했다.

모두가 '잘한다'를 외치며 계속 춤추기를 원했다.

돌처럼 굳어진 다나는 박수가 자신을 위한 것인지 믿지 못했다.

식당 안의 불빛이 세찬 물처럼 한꺼번에 쏟아지듯 비추었다.

우아하고 유행에 맞는 옷차림을 하고 두꺼운 담배를 피우면서 어느 남자가 다나에게 다가와 말했다.

"감사합니다. 감동적이네요.

오늘부터 일해 주세요. 여기서 춤을 추세요.

급여, 호텔 방, 원하는 모든 것을 드릴게요."

이 사람이 호텔과 식당의 소유주 알로조 씨였다.

다나에게 저녁 식사를 가져다주라고 종업원에게 명령했다.

"오늘부터 숲의 요정은 여기에서 춤을 춥니다."

큰 소리로 알로조 씨가 알렸다.

다나는 매일 밤 이 식당에서 춤을 추었고, 점점 더 많은 사람이 춤을 보러 왔다.

식당은 항상 만원이었다.

'바다의 바람 소리' 호텔 식당에서 매일 밤 다나, 숲의 요정이 춤춘다고 알리는 벽 광고가 도시에 붙었다.

다나는 지칠 줄 모르게 춤을 추었고, 춤은 100년 묵은 포도주처럼 관중을 취하게 했다.

춤을 보러 여러 번 오는 사람들도 있다.

정말로 산꼭대기에서 나온 순수하고 시원하고 차가운 물이고 약재였다.

사람들 끌어당기는 춤의 힘이 어떤 것인지 설명할 수 없다.

발레를 전혀 본 적이 없는 사람조차도 보러 왔다.

부드럽게 날아가는 움직임, 불타는 눈동자, 따뜻하고 친절한 웃음이 사람들을 황홀하게 한다.

알로조 씨는 매일 밤 식당에 와서 춤을 본다.

여기서 다나가 춤 춘 이래 일, 가족, 모든 것을 잊고 오직 앉아서 다나만 쳐다본다.

춤추다가 때로 마음에 불이 난 듯 쳐다본다.

알로조 씨의 눈빛은 조용하다.

그러나 전에는 사나운 늑대의 눈빛 같았다.

사업이나 돈에 대한 흥미도 그쳤다.

경쟁업자들도 핍박하지 않는다.

가진 다른 호텔을 잊을 정도였다.

친구와 동료도 차례로 떠났다.

그들 중 누군가가 식당에 음료, 먹을 것이 풍부하고 다나가 처음으로 춤추는 생일잔치를 때때로 기억했다.

어느 저녁 식당 안의 공연이 시작하지 않았다.

손님들이 불평했다.

춤추는 다나가 없어졌다.

찾았지만 어디에도 없었다.

알로조는 매우 화가 났다.

탁자에 앉아 신경질적으로 담배를 피웠다.

로코와 미코에게 바로 찾으러 가라고 명령한다.

"30분 이내에 찾아내라." 엄하게 말했다.

로코와 미코는 밖으로 나갔다.

로코가 말했다.

"찾으면 때려 줄 거야."

"그것만은 하지 마라." 미코가 충고했다.

"나중에 알로조 씨가 너를 쏘아 죽일 거야.

정말로 숲의 요정 없이는 살 수 없을걸."

모든 도시를 둘은 찾아다녔다.

만나는 모두에게 물어보았다.

마침내 누군가 '마귀의 눈'이라는 술집에 있다고 말했다.

로코와 미코는 곧바로 뛰어갔다.

'마귀의 눈'에서는 소동이 일어났다.

젊은 남자들이 춤을 추고, 어느 구석에서 몇몇 젊은 남
녀들과 춤을 추는 다나를 보았다.

둘은 곧바로 붙잡아 차에 태우고 출발했다.

20분 뒤 범인을 쳐다보듯 경찰처럼 엄하게 다나를 바라
보는 알로조 씨 앞에 섰다.

알로조 씨가 말했다.

"너는 내게서 벗어날 수 없어."
"저는 사장님 소유물이 아닙니다." 다나가 말했다.
"우리가 찾을 것이다."
알로조가 거친 소리를 냈다.
"돈으로 저를 살 수 없어요."
쳐다보는데 눈에 불꽃이 빛났다.
"우리가 찾을 것이다."
되풀이하면서 춤 추라고 명령했다.
다나는 연단 위로 올라갔다.
몇 초 동안 움직이지 않다가 나중에 춤추기 시작했다.
새로운 춤이었다.
몸을 활처럼 뻗었다.
큰바람처럼, 야생말처럼 뛰고, 머리카락은 갈대처럼 휘날리고, 폭풍에 가라앉듯 춤을 추고 눈은 빛났다.
알로조 씨는 탁자에 앉아 쳐다보다가 갑자기 몸 상태가 나빠졌다.
심장이 아프고, 땀이 나고, 숨 쉬기가 힘들고, 철 손가락이 목을 눌러 숨이 막히고 어지러웠다.
눈앞에 짙고 검은 구름이 보였다.
마치 무거운 가방이 등 위에 있는 듯했다.
알로조 씨는 공포에 싸여 다나에게 소리치기 시작했다.
"가라, 식당에서 나가라. 너는 정말 저주받은 마녀다.
내어 쫓아라. 더 보기 싫다."
로코와 미코는 뛰어가 다나를 잡고 밖으로 끌어냈다.

그날 이후 누구도 다나를 보지 못했다.
어디로 갔는지, 무엇을 하는지 아무도 모른다.
아직도 춤을 추고 있는지 아닌지 수수께끼다.

DANCANTA ANĜELO

Dana dancis jam de la infanĝo. Aŭdante muzikon, ŝi tuj ekstaris, faris kelkajn paŝojn kaj komencis danci, kvazaŭ iu ekstertera fantazia forto gvidis ŝin. Ŝia maldika korpo fleksiĝis kiel flamo, ŝiaj teneraj kruroj ne tuŝis la teron, ŝiaj brakoj tremis kiel flugiloj, ŝia longa hararo similis al ondoj, ŝiaj grandaj okuloj radiis miraklan fajron. Mirinda sorĉa forto estis en dancado de Dana! Kiam iu vidis ŝin danci, li aŭ ŝi estis ravitaj kaj senmove gapis ŝin. Dana dancis kaj ŝajne leĝera vento lulis ŝiajn belegajn krurojn, ŝiajn blankajn femurojn, ŝian tutan korpon, kiu kvazaŭ ne havis karnon. Ŝi estis kiel miraĝo. La muziko flugigis ŝin tenere kiel aŭtunan folion, falantan de arbo. La dancoj de Dana estis ventegaj kaj pasiaj kiel feno aŭ facilmovaj kaj leĝeraj kiel sopiro. Ĉiu ŝia paŝo, ĉiu ŝia movo estis melodio kaj poezio kiel lirlo.

Tre juna Dana forlasis la naskan domon kaj ekiris serĉi sian feliĉon. Unue ŝi estis en cirko "Areno", kie ŝi dancis dum la paŭzoj inter la cirkaj programeroj.

En la cirko hindo dresis serpentojn, li ludis flute kaj el skatolo eliris serepntoj, kiuj dancis laŭ la fluta melodio. Kune kun la serpentoj dancis Dana kaj oni ne povis diri kio pli impresis la publikon: ĉu la serpentoj aŭ Dana. La korpo de Dana fleksiĝis kiel kano kaj la flamoj en ŝiaj okuloj allogis la spektantojn.

La cirko kaj Dana veturis tra la tuta lando. Ili estis en urboj kaj vilaĝoj. La vivo de Dana similis al senfina ĝoja danco. Ŝi dancis tage kaj nokte. Oni diris, ke ŝiaj mirinadaj dancoj sorĉis ne nur la homojn, sed same la bestojn. Kiam ŝi dancis, la tigroj en la kaĝoj, kvietiĝis kiel hejmaj katoj. La semioj dancis kun ŝi kaj ili imitis ŝiajn movojn.

Ĉiuj en la cirko, de ĝia posedanto, sinjoro Piero, ĝis la laboristoj sur la maneĝo, amis Danan. Ŝi estis ne nur la plej juna en la cirko, sed la plej gaja kaj ĉiuj diris, ke Dana feliĉigas ilin. Dank' al ŝi kaj al ŝiaj dancoj la publiko ĉiam plenigis la cirkon. Neniam antaŭe la cirkaj spektakloj estis tiel sukcesaj.

Post du jaroj Dana forlasis la cirkon. Neniu komprenis kio igis ŝin foriri. Povas esti, ke la maro allogis ŝin, ĉar tiam la cirko rondvojaĝis tra la maraj urboj. Certe la senlima blua maro, la varma ora sablo, la susuro de la ondoj igis Danan resti ĉe la maro, aŭ eble ŝi renkontis iun, kiu sorĉis ŝian koron kaj Dana enamiĝis. Iun nokton Dana silente iris el la mikrobuso, kie ŝi dormis kaj malaperis.

Post iom da tempo oni vidis ŝin en iu montara vilaĝo,

kie ŝi dancis sur karbardaĵo. En iuj montaraj vilaĝoj en la lando estas tia rito. Junulinoj dancas nudpiede sur karbardaĵo. La fremdlandanoj, kiuj spektis tiujn ĉi dancojn, opinias, ke tio estas ia trompo aŭ ĵonglado. Dana tamen dancis sur la karbardaĵo kaj ĉiuj rigardis ŝin trance. Ja, ŝi similis al idolpastrino, kiu plenumas dian riton. Vestita en longa blanka robo, kun la nigra hararo, kiu falas sur ŝiajn ŝultrojn kiel ondoj kaj rigardo, direktita al la steloj, Dana similis al flamanta kometo sur la nokta ĉielo. Sub ŝiaj nudaj blankaj piedoj fajris la fajro de la revoj, sopiroj, amo kaj sorĉado.

Foje dum la dancado sur la karbardaĵo vidis ŝin Roko kaj Miko, junuloj, kiuj laboris en la hotelo de sinjoro Alozo, la plej riĉa persono en urbo Burgo.

-Nia ĉefo baldaŭ havos naskiĝtagan feston kaj tiu ĉi dancistino devas danci dum la festo. Por la ĉefo ŝi estos granda donaco kaj agrabla surprizo.

Kiam la danco finiĝis, ili kaptis Danan kaj enigis ŝin en nigran aŭton. Ŝi ne povis kontraŭstari. Ja, ŝi estis maldika kaj tenera. Oni veturigis ŝin en hotelon "Maraj Lirloj" kaj fermis ŝin en ĉambron. Dana sidiĝis sur la liton sen kompreni kial ili venigis ŝin ĉi tien kaj kio okazos al ŝi. Sola, konsternita, Dana ekploris. Ja, ŝi ĉiam dancis, ridis, sed nun ŝi amare ploris, ĉar ŝi estis kiel najtingalo en kaĝo. Por ŝi tio estis terara.

La pordo – ŝlosita, sola en la ĉambro, Dana sufokiĝis, malgraŭ ke la ĉambro estis vasta, lukse meblita kun televidilo, fridujo, grandega lito. En la banejo la bankuvo similis al baseno. Dana staris antaŭ la spegulo kaj ne kredis, ke vidas sin kun la longa nigra hararo, kun la vizaĝo, kiu brilis kiel kupro kaj kun la profundaj okuloj. Dana rigardis sin kaj miris. Ĝis nun ŝi malofte rigardis sin en spegulo kaj ŝi ne kredis, ke ŝia rigardo estas tiel forta. Ŝi similis al nimfo. Pro la enuo, Dana provis danci, sed ne eblis danci en kaĝo. Ŝia koro estis premita kiel la koro de timigita pasero, ŝiaj brakoj – kvazaŭ forhakitaj kaj ŝiaj kruroj – najligitaj en la plankon. Dana eĉ ne povis movi sin. Ŝi opiniis, ke estas paralizita. Pli forte ŝi ekploris kaj ŝiaj varmaj larmoj fluis kiel riveretoj.

Dum la tuta nokto Dana ne dormis, malgraŭ ke la lito estis komforta, mola kaj odoris je floroj.

La sekvan tagon venis ambaŭ fortaj junuloj. Ili kondukis ŝin al la restoracio de la hotelo, kiu estis plen-plena da homoj, ĉefe gejunuloj, elegante, mode vestitaj, kiuj manĝis, trinkis kaj amuziĝis. En la centro de la restoracio estis podio, lumigita de forta lumo. Tie unu post la alia ekstaris gekantistoj, kiuj kantis. Junulino kun longa ruĝa robo, sen manikoj, anoncis:

-Por vi, kara sinjoro Alozo, okaze de via naskiĝtaga festo, estos granda surprizo. Dancos vera nimfo.

Oni puŝis Danan al la podio kaj ŝi ekstaris sub la lumĵetiloj. Maldika, timigita ŝi estis kiel sovaĝa besteto. En la blanka robo kun la nigra hararo kaj nudpieda Dana vere similis al nimfo. Nenion ŝi vidis, ĉar la forta lumo blindigis ŝin. Dana tute ne sciis, kiu estas sinjoro Alozo, kie ĝuste li sidas en la restoracio kaj kial ĉiuj estimas kaj subiĝas al li.

Subite eksonis muziko kaj Dana instinkte komencis danci. Ŝi forgesis kie ŝi estas, ke estas homoj ĉirkaŭ ŝi. Ŝi dancis kiel sorĉigita. En la restoracio regis profunda silento. Dana dancis kvazaŭ ŝi estis sola en malluma arbaro, sur herbejo, sub la luno kaj steloj. Ŝajnis al ŝi, ke ĉirkaŭ ŝi estas arboj kaj malantaŭ ili gvatas ŝin bestoj. En la malluma restoracio flametis nur cigaredoj kiel pupiloj de rabaj bestoj. La muziko lulis Danan kiel la ondoj de trankvila aŭtuna maro.

Dana ne povis diri kiom da tempo ŝi dancis, sed kiam la muziko ĉesis, en la restoracio ektondris aplaŭdoj. Oni kriis "brave" kaj deziris, ke ŝi daŭrigu danci. Dana staris kiel ŝtonigita kaj ne kredis, ke la aplaŭdoj estas por ŝi. La lampoj en la restoracio eklumis kiel torento. Iu sinjoro, vestita en eleganta moda kostumo, fumanta dikan cigaron, proksimiĝis al Dana kaj diris:

-Dankon. Via dancado kortuŝis min. De hodiaŭ vi laboros por mi. Vi dancos ĉi tie. Vi havos salajron, ĉambron en la hotelo kaj ĉion, kion vi deziras.

Tiu ĉi estis sinjoro Alozo, la posedanto de la hotelo kaj la restoracio. Li ordonis al kelnero tuj alporti vespermanĝon al Dana.

-De hodiaŭ tiu ĉi Arbara Nimfo dancos ĉi tie – anoncis altvoĉe sinjoro Alozo.

Dana komencis ĉiun vesperon danci en la restoracio kaj pli kaj pli da homoj venis spekti ŝian dancadon. La restoracio ĉiam estis plen-plena. En la urbo aperis afiŝoj, kiuj informis, ke en la restoracio de hotelo "Maraj Lirloj" ĉiun vesperon dancas Dana – la Arbara Nimfo.

Dana dancis senlace kaj ŝia dancado ebriigis la spektantojn kiel centjara vino. Estis personoj, kiuj plurfoje venis spekti la dancadon. Ja, la dancado estis kiel drogo, kiel freŝiga malvarma akvo el pura montara fonto. Ne eblis klarigi kia estis la forto de la dancado, kiu allogis la homojn. Eĉ tiuj, kiuj neniam spektis baleton, venis spekti la dancadon de Dana. Ilin ravis ŝiaj molaj flugantaj movoj, ŝiaj flamantaj okuloj, ŝia varma kara rideto.

Sinjoro Alozo ĉiun vesperon estis en la restoracio kaj

spektis la dancadon. De kiam Dana dancis ĉi tie, li forgesis ĉion: la okupojn, la familion kaj nur sidis kaj rigardis Danan. Ŝi dancis kaj de tempo al tempo alrigardis lin kaj ŝi kvazaŭ bruligis lian koron. La rigardo de sinjoro Alozo nun estis kvieta, sed antaŭe ĝi similis al la rigardo de kruela lupo. Sinjoro Alozo ĉesis interesiĝi pri negocoj, pri mono. Li plu ne persekutis siajn konkurencantojn. Li eĉ forgesis siajn aliajn hotelojn, kiujn li havis. Liaj amikoj kaj kunuloj unu post alia forlasis lin. Iuj el ili nur de tempo al tempo rememoris lian naskiĝtagan feston, kiam en la restoracio abundis drinkaĵoj, manĝaĵoj kaj unuan fojon dancis Dana.

Iun vesperon tamen la spektaklo en la restoracio ne komenciĝis. La publiko grumblis. Dana, la dancistino, forestis. Oni serĉis ŝin, sed nenie trovis ŝin. Sinjoro Alozo estis kolerega. Li sidis ĉe la tablo kaj nervoze fumis. Li ordonis al Riko kaj Miko tuj iri serĉi ŝin.

-Dum duonhoro vi trovu ŝin! – severe diris sinjoro Alozo.

Roko kaj Miko ekkuris eksteren.

-Ni trovos ŝin kaj mi batos ŝin – diris Roko.

-Nur tion ne faru – avertis lin Miko, - ĉar poste sinjoro Alozo mortpafos vin. Ja, li ne povus vivi sen la Arbara Feino.

Ambaŭ serĉis Danan en la tuta urbo. Ili demandis ĉiun,

kiun ili renkontis. Fin-fine iu diris, ke Dana estis en la danctrinkejo "Diabla Okulo". Roko kaj Miko tuj alkuris tien. En "Dabla Okulo" estis tumulto. Gejunuloj dancis kaj en iu angulo Roko kaj Miko vidis Danan, kiu dancis kun kelkaj gejunuloj. Ambaŭ tuj kaptis ŝin, ili ĵetis Danan en aŭton kaj forveturis. Post dudek minutoj ili staris antaŭ sinjoro Alozo, kiu severe alrigardis Danan kiel policano, rigardanta krimulon kaj diris:

-Vi ne povas forkuri de mi!

-Mi ne stas via propraĵo! – diris Dana.

-Ni vidos! – eksiblis Alozo.

-Per mono vi ne povas aĉeti min! – rigardis lin Dana kaj en ŝiaj okuloj brilis sparkoj.

-Ni vidos! – ripetis Alozo. - Dancu! – ordonis li.

Dana ekiris al la podio. Eksonis muziko. Kelkajn sekundojn ŝi staris senmova kaj poste ŝi ekdancis. Estis nova danco. Dana streĉigis sian korpon kiel pafarkon. Ŝi ekdancis kiel ventego, saltis kiel sovaĝa ĉevalo, ŝia hararo flirtis kiel kanoj, lulitaj de ŝtormo, ŝiaj okuloj fajris.

Sinjoro Alozo sidis ĉe la tablo, rigardis ŝin, sed subite li malbone fartis. Lia koro doloris, li ŝvitis, peze spiris, feraj fingroj premis lian gorĝon, li sufokiĝis, svenis, antaŭ liaj okuloj aperis densaj nigraj nuboj. Kvazaŭ peza sako estis sur lia dorso. Sinjoro Alozo komencis terure krii al Dana:

-For, for de la restoracio! Vi vere estas malbenita sorĉistino! Forpelu ŝin! Mi plu ne povas rigardi ŝin! Roko kaj Miko saltis, kaptis Danan kaj puŝis ŝin eksteren. De tiam neniu plu vidis Danan. Kien ŝi iris, kion ŝi faras, neniu scias. Ĉu ŝi ankoraŭ dancas aŭ ne, estas enigmo.

외투

문학의 밤에 여자를 만났다.
시인들이 자기 시를 읽었다.
여자는 관중 앞에 서자 떨리며 감정에 젖었다.
명확하고 천천히 읽었다.
눈은 우윳빛 초콜릿처럼 밝은 갈색이다.
머리카락은 검고 짙어서 어깨 위로 자유롭게 늘어져 있다.
머리숱이 이마를 덮어 때로 가늘고 섬세한 손으로 들어 올렸다.
읽으면서 빙긋 웃었는데, 장밋빛 입술의 보조개가 더 매혹적이다.
눈썹은 작고 검은 콤마처럼 조그맣게 움직였다.
단정하게 차려입고 두꺼운 재질의 갈색 치마에 같은 갈색의 무릎까지 긴 신발, 높은 깃을 가진 하얀 웃옷, 가락 있는 목소리와 발음하는 단어를 들었으나, 남자는 마치 알아듣지 못한 듯했다.
읽기 시작할 때 느낀 떨림이 지금 따뜻한 파도처럼 온몸을 덮었다.
조금 술 취한 듯 느꼈다.
시의 마지막 단어를 말하고 조용해지자 갑자기 참가자들의 함성이 남자를 깨웠다.
시 낭송이 끝나고, 가까이 다가가서 '시집을 어디에서 살 수 있냐'고 물었다.

조그맣게 웃자 가슴 속에 작은 떨림이 느껴졌다.

지금 여자 앞에 서서 보니 대략 35살 정도라, 남자보다 스무 살 연하다.

'서점에서 살 수 없으니 집 주소를 알려 주면 우편으로 보내주겠다.'라고 설명했다.

'인터넷에서 읽을 수 있다.'고 덧붙였다.

저녁에 집에 돌아왔는데 아직도 초콜릿 색 눈과 해 같은 웃음을 보는 듯했다.

즉시 컴퓨터를 켜서 인터넷의 시를 읽기 시작했다.

자정까지 읽었다.

며칠 뒤에 우편으로 시집을 받았다.

둘은 인터넷으로 서로 이야기를 나누었다.

여자는 신문학(新聞學)을 공부했지만 적당한 일을 찾지 못한 것을 알았다.

결혼하지 않고 엄마와 함께 살고 있다.

남자도 자기 자신에 대해 편지에 썼다.

혼자 살면서 다리 건축에 관련된 회사에서 자문(諮問)하고 있다.

문학의 밤 이후 삶이 변했다.

날마다 일이 끝나고 집에 서둘러 와서 대화를 위해 컴퓨터를 켰다.

시간은 어느새 지나갔다.

많은 주제(主題)에 관해 이야기했다.

밤에 조용하고 어두운 동굴 같은 방에서 잠들 때 스스로 물었다.

'내가 사랑에 빠졌나?'

이 나이에 마음 깊이 사랑한다는 것을 믿으려 하지 않았다.

낮에는 행복해 날아갈 듯하고, 저녁에는 목소리를 듣고 컴퓨터 화면 위에서 얼굴을 보려고 서둘러 집으로 온다.

둘은 만나기 시작했고 극장, 오페라를 관람했다.

고등학생처럼 사랑에 빠졌지만, 그 느낌을 감히 고백하지 못했다.

여자는 일거리가 없어서 힘들었다.

여자와 엄마는 돈이 충분하지 않다고 생각했다.

돕고 싶었으나 마음 상하게 하지 않으려고 돈 이야기를 꺼내지 않았다.

여자는 1월인데도 얇은 웃옷을 입었다.

아내는 죽기 전, 아름답고 현대적인 짙은 파란색의 외투를 샀다.

그 옷을 선물 하기로 마음먹었다.

여자는 작고 날씬한 아내와 비슷했다.

외투를 선물하며 말했다.

"아내가 아파서 이 외투를 하루도 못 입었어요."

일주일이 지났지만 얇은 웃옷을 계속 입었다.

"제가 선물한 옷을 왜 안 입나요?" 하고 물었다.

"외투요? 나보다 더 필요로 하는 어느 여자분에게 주었어요."

잠잠하다가 뒤에 작게 덧붙였다.

"미안해요. 선생님의 아내를 대신할 수 없어요."
아무 대답도 못 했다.
피곤하고 고민에 빠진 채 집으로 돌아왔다.
자신을 꾸짖었다.
'내가 그렇게 유치한가?
어떻게 아가씨가 나를 사랑하리라고 생각했나?
아마 그 여자가 맞다.
잠재의식에서 죽은 아내를 대신할 여자를 찾았는가?'
나올 수 없는 미로를 헤맨 듯했다.
이야기를 나누고 컴퓨터 화면에서 얼굴을 보려고 이제
컴퓨터를 켜지 않았다.

LA MANTELO

Li renkontis ŝin dum literatura vespero. Poetoj legis siajn poemojn. Kiam ŝi ekstaris antaŭ la publiko, li ektremis kaj emociiĝis. Ŝi legis klare kaj malrapide. Ŝiaj okuloj estis helbrunaj kiel lakta ĉokolado. Ŝia hararo, nigra kaj densa, falis libere sur ŝiajn ŝultrojn. Iu hartufo tuŝis ŝian frunton kaj de tempo al tempo ŝi levis ĝin per siaj maldikaj delikataj fingroj. Dum la legado ŝi iom ridetis kaj tiu ĉi rideto, en la angulo de ŝiaj rozkoloraj lipoj, igis ŝin pli alloga. Ŝiaj brovoj, similaj al etaj nigraj komoj, iom moviĝis.

Modeste vestita, ŝi surhavis brunan jupon el pli dika ŝtofo, botetojn – same brunajn, ĝis la genuoj, kaj blankan puloveron kun alta kolumo. Li aŭskultis ŝian melodian voĉon, la vortojn, kiujn ŝi prononcis, sed li kvazaŭ ne perceptis ilin. La ektremo, kiun li eksentis, kiam ŝi komencis legi, nun obsedis lian tutan korpon kiel varma ondo kaj li sentis sin iom ebria. La lasta vorto el ŝia poemo silentiĝis kaj la subitaj aplaŭdoj de la ĉeestantoj kvazaŭ vekis lin.

Kiam la poemlegado finiĝis, li proksimiĝis al ŝi kaj demandis de kie li povas aĉeti ŝian poemaron. Ŝi ekridetis kaj li denove eksentis la saman tremon en sia brusto.

Nun, staranta antaŭ ŝi, li rimarkis, ke ŝi estas ĉirkaŭ tridek kvinjara, do dudek jarojn pli juna ol li. Ŝi klarigis, ke la poemaro ne estas aĉetebla en la librovendejoj, sed se li donus al ŝi sian hejman adreson, ŝi sendos ĝin poŝte al li. Ŝi aldonis, ke ŝiaj poemoj estas legeblaj en interreto.

Vespere, kiam li revenis hejmen, li kvazaŭ ankoraŭ vidis antaŭ si ŝiajn ĉokoladkolorajn okulojn kaj sentis ŝian sunan rideton. Tuj li funkciigis la komputilon kaj komencis legi ŝiajn poemojn en interreto. Ĝis la noktomezo li legis.

Post kelkaj tagoj li ricevis poŝte ŝian poemaron. Interrete ili komencis korespondi. Li eksciis, ke ŝi studis ĵurnalistikon, sed ŝi ne trovis konvenan laboron. Ŝi ne estas edzinita kaj loĝas kun sia patrino. Li same skribis al ŝi pri si mem. Li, loĝanta sola, estis konsultanto en firmao, kiu okupiĝas pri kostruado de pontoj. Antaŭ unu jaro kaj duono lia edzino mortis.

Post la literatura vespero lia vivo ŝanĝiĝis. Ĉiutage, post la fino de la laboro, li rapidis reveni hejmen kaj funkciigi la komputilon por konversacii kun ŝi. La horoj pasis nerimarkeble. Pri multaj temoj ili konversaciis. Nokte, kiam li enlitiĝis en la silenta kaj malluma ĉambro, simila al kaverno, li demandis sin: ĉu mi enamiĝis? Li ne deziris kredi, ke je tiu ĉi aĝo li ekamis ŝin je la profundo de sia animo. Dum la tagoj li kvazaŭ flugis feliĉa, vespere li rapidis hejmen por aŭdi ŝian voĉon kaj vidi ŝian vizaĝon sur la komputilekrano.

Ili komencis renkontiĝi, spektis teatraĵojn, operojn. Kiel gimanziano li estis enamiĝinta, sed ne kuraĝis konfesi siajn sentojn al ŝi. Ŝi daŭre ne havis laboron kaj tio turmentis ŝin. Li konjektis, ke ŝi kaj ŝia patrino ne havas sufiĉe da mono, li deziris helpi, sed ne proponis al ŝi monon por ne ofendi ŝin.

Estis januaro, ŝi surhavis maldikan jakon. Lia edzino, antaŭ la morto, aĉetis por si mem belan modan mantelon malhelbluan kaj li decidis donaci ĝin al ŝi. Ja, ŝi similis al lia edzino, malalta kaj maldika. Li donacis al ŝi la mantelon kaj diris, ke la edzino eĉ tagon ne surhavis ĝin, ĉar malsaniĝis.

Pasis semajno, sed ŝi daŭre surhavis sian maldikan jakon.

-Kial vi ne surhavas la mantelon, kiun mi donacis al vi? – demandis foje li.

-Ĉu la mantelo? – kaj ŝi alrigardis lin. – Mi donis ĝin al iu virino, kiu pli bezonas ĝin ol mi – ŝi eksilentis kaj poste mallaŭte aldonis: - Pardonu min, sed mi ne povas anstataŭigi vian edzinon.

Nenion li respondis. Vespere, laca kaj ĉagrenita, li revenis hejmen. Li memriproĉis sin. Ĉu mi estas tiel naiva? Kiel mi imagis, ke ŝi, junulino, ekamos min? Aŭ eble ŝi pravas. Ĉu mi‾subkonscie serĉas virinon, kiu anstataŭigos mian forpasintan edzinon? Li kvazaŭ vagis en labirinto, el kiu ne povis eliri. Plu li ne funkciigis la komputilon por paroli kun ŝi kaj vidi ŝian vizaĝon sur la komputilekrano.

루스란의 풍경화

해가 빛나는 9월의 어느 날입니다.

하늘은 어린아이 눈처럼 파랗고 희미한 바람은 얼굴을 어루만지고 공원은 자는 듯 조용합니다.

날마다 일이 끝난 뒤, 류벤은 편안한 9월의 오후를 즐기면서 집까지 걸어가기를 좋아합니다.

지금은 보리수가 많은 넓은 가로수길로 걸어가고 있습니다. 그리고 오른쪽으로 돌아, 공원에 들어서니 노랗고 빨갛고 갈색의 나뭇잎 때문에 여러 가지 색의 외투를 입은 날씬한 여자와 같은 나무들이 서 있습니다.

화단에 핀 가을 꽃이 바람 때문에 조금 움직이는데 마치 인사를 위해 고개 숙이는 듯했습니다.

공원의 작은 연못에 해가 반짝이는 9월의 어느 날, 그림을 전시해서 파는 화가들이 모입니다.

여기 이곳은 커다란 특별전시회 같습니다.

류벤은 그림을 둘러보면서 잘 알고 지내는 화가들과 대화하기를 좋아하고 가끔 그림을 몇 점 샀습니다.

이미 충분히 많은 그림을 가지고 있습니다.

언젠가 여러 화가의 그림들을 전시하는 미술관 세우기가 꿈입니다.

지금 재미있고 특별한 그림을 찾기 바라며 그림들을 자세히 쳐다보고, 잘 세워진 그림 사이를 천천히 지나갔습니다.

그러나 주의를 끄는 그림이 없었습니다.

류벤은 여기에 전시하는 화가 중 많은 화가의 스타일과 그림 기술을 잘 알고 있습니다.

천천히 계속 걸어가다가 갑자기 멈췄습니다.

의자 중 하나에 세워진 몇 가지 수채화 풍경화가 눈에 띄었습니다.

류벤은 쳐다보면서 매우 놀랐습니다.

그림이 특별했습니다.

그것을 그린 화가는 매우 독창적인 스타일을 가지고 있습니다. 마치 알지 못한 기적의 세계를 느끼고 재미있게 그려냈습니다.

색깔도 놀랄 만했습니다.

류벤은 그림들을 쳐다보았습니다.

순수함과 진지함이 류벤을 반하게 했습니다.

빛과 기쁨을 비추었습니다.

화가의 굳센 영감과 기쁨의 소리를 느낄 수 있습니다.

화가를 보려고 둘러보았지만 그림 근처에 아무도 없었습니다.

근처 의자에 잘 아는 늙은 화가 페트코 아저씨가 앉아있습니다.

"아저씨, 이 그림을 누가 그렸어요?"

류벤이 물었습니다.

늙은이가 빙긋 웃으며 호수 쪽을 가리켰습니다.

"지금 저기에 있어." 페트코 아저씨가 말했습니다.

늙은 화가가 가리킨 쪽을 쳐다보았습니다.

거기에 공놀이하는 어린 남자아이 몇 명이 보였습니다.

"어디예요?" 류벤이 물었습니다.

"저기 공으로 뛰어가는 금발의 개구쟁이."

다시 페트코 아저씨가 말했습니다.

"그 아이가 이 풍경화를 그렸다고요?"

류벤은 믿지 못했습니다.

"응" 늙은이가 대답했습니다.

"이름은 루스란이고, 때때로 여기 와."

그리고 페트코 아저씨는 어린아이를 불렀습니다.

"루스란, 이리로 와. 이 아저씨가 너랑 이야기하고 싶단다."

마지못해 어린아이가 가까이 왔습니다.

대략 10살 정도의 짙은 금발에, 두 개의 유리 전구처럼 밝은 파란 눈, 뛰어와서 뺨은 익은 사과처럼 빨갛습니다.

"이 풍경화를 그렸니?" 류벤이 물었습니다.

"예" 어린아이가 대답했습니다.

"그림 그리기를 좋아하는구나."

류벤이 말했습니다.

"예"

"왜 그림을 여기에 두었니?"

이 질문에 어린이는 조금 당황했습니다.

아래로 낡은 신발을 내려다보는데 눈썹 때문에 눈이 잘 안 보였습니다.

잠깐 말없이 있다가 나중에 조그맣게 말했습니다.

“돈이 필요해서요.”

“왜?” 류벤이 놀랐습니다.

“휴대전화를 갖고 싶어요. 모든 아이가 거의 갖고 있어요.”

“네 부모님이 휴대전화를 사줄 수 없니?” 류벤이 물었습니다.

“엄마는 일을 안 해요. 회사에서 나가라고 했대요. 아빠는 안 계세요. 누군지도 몰라요.”

어린아이를 쳐다보다가 뒤에 다시 의자 위에 놓인 그림을 보고 천천히 말했습니다.

“좋아, 그림을 두 점 살 테니 계속 그리겠다고 약속해.”

어린아이의 눈이 밝게 빛나기 시작했습니다.

“휴대전화를 가질 수 있을 거야.

다른 꿈이 무엇인지 말해 줄래?”

어린아이는 조금도 주저하지 않고 곧바로 대답했습니다.

“어른이 되면 도시 미술관에서 전시회를 열 거예요.

모르는 우리 아빠가 와서 내 그림을 보실 것이고 내가 화가가 된 것을 아실 거예요.”

“언젠간 너는 분명 큰 전시회를 열 것이고, 네 아빠는 꼭 보러 오실 거야.” 류벤이 말했습니다.

“지금 이 두 점 풍경화를 가져갈게.”

류벤은 의자로 가까이 가서 풍경화를 들고 루스란에게 얼마의 지폐를 주었습니다.

“너는 유명한 화가가 될 거라고 믿는다.”

류벤이 말했습니다.

LA PENTRAĴOJ DE RUSLAN

Estis sunaj septembraj tagoj. La ĉielo bluis kiel infana okulo, febla vento karesis la vizaĝojn, la parko dormetis en silento. Ĉiutage, post la fino de la labortempo, Ljuben ŝatis piediri hejmen, ĝuante la trankvilajn septembrajn posttagmezojn. Ankaŭ nun li ekiris sur la vastan bulvardon kun la tilioj kaj poste dekstren li eniris la parkon, kie la arboj similis al sveltaj inoj kun buntaj manteloj de flavaj, ruĝaj, brunaj folioj. La aŭtunaj floroj en la bedoj iom moviĝis pro la vento kaj kvazaŭ klinis sin por saluti lin.

Ĉe la eta lago en la parko, dum la sunaj septembraj tagoj, kolektiĝis pentristoj, kiuj prezentis siajn bildojn. La loko ĉi tie similis al granda neordinara ekspozicio. Ljuben ŝatis trarigardi la pentraĵojn, konversacii kun la pentristoj, kiujn li bone konis kaj foje-foje li aĉetis iun pentraĵon. Jam li havis sufiĉe da bildoj kaj revis iam establi artgalerion, kie estos pentraĵoj de diversaj pentristoj.

Nun li malrapide pasis preter la ordigitaj bildoj, atente trarigardis ilin, esperante vidi interesan kaj neordinaran pentraĵon, sed la bildoj ne vekis lian atenton. Ja, Ljuben bone konis la stilon kaj pentroarton de multaj el la pentristoj, kiuj ekspoziciis bildojn ĉi tie.

Li daŭrigis malrapide iri, sed subite haltis. Sur unu el la benkoj estis ordigitaj kelkaj akvarelaj pejzaĝoj. Ljuben alrigardis ilin kaj surpriziĝis. La pentraĵoj estis neordinaraj. La pentristo, kiu pentris ilin, havis ege originalan stilon. Li kvazaŭ perceptis nekonatan miraklan mondon kaj talente pentris ĝin. La koloroj estis mirindaj. Ljuben rigardis la bildojn. Ili ravis lin per ia naiveco, sincereco kaj ili radiis lumon kaj ĝojon. Senteblis forta pentrista inspiro kaj jubilo.

Ljuben ĉirkaŭrigardis por vidi la pentriston, sed proksime al la bildoj estis neniu. Ĉe la najbara benko staris oĉjo Petko, maljuna konata pentristo, kiun Ljuben bone konis.

-Oĉjo Petko, kiu pentris tiujn ĉi pentraĵojn? – demandis Ljuben.

La maljunulo ekridetis kaj montris al la lago.

-Jen, li estas tie – diris oĉjo Petko.

Ljuben rigardis al la direkto, kiun montris la maljuna pentristo, sed tie li vidis nur kelkajn knabojn, kuj pilkludas.

-Kie? – demandis Ljuben.

-Tie – denove diris oĉjo Petko – la blondhara bubo, kiu nur kuras al la pilko.

-Ĉu li pentris la pejzaĝojn? – ne kredis Ljuben.

-Jes – respondis la maljunulo. – Lia nomo estas Ruslan

kaj de tempo al tempo li venas ĉi tien.

Kaj oĉjo Petko vokis la knabon:

-Ruslan, venu ĉi tien. Tiu ĉi sinjoro deziras paroli kun vi.

Sendezire la knabo proksimiĝis al ili. Li estis ĉirkaŭ dekjara kun densa blonda hararo, helbluaj okuloj kiel du vitraj globetoj kaj ruĝaj vangoj pro la kurado, similaj al maturaj pomoj.

-Ruslan, ĉu vi pentris tiujn ĉi pejzaĝojn? – demandis Ljuben.

-Jes – respondis la knabo.

-Do, vi ŝatas pentri – diris Ljuben.

-Jes.

-Kaj kial vi alportis ĉi tien la pentraĵojn?

Tiu ĉi demando iom embarasis la knabon. Li alrigardis malsupren al siaj elfrotitaj ŝuoj kaj lia longaj palpebroj kaŝis lian rigardon. Kelkajn sekundojn li silentis kaj poste mallaŭte li ekparolis:

-Mi bezonas monon…

-Kial – miris Ljuben.

-Mi deziras havi poŝtelefonon. Ja, ĉiuj infanoj havas poŝtelefonon…

-Ĉu viaj gepatroj ne povas aĉeti al vi poŝtelefonon? – demandis Ljuben.

-Mia patrino ne laboras. Oni maldungis ŝin. Mi ne havas

patron, mi ne scias kiu li estas.

Ljuben alrigardis la knabon, poste denove - la pentraĵojn, kiuj staris sur la benko kaj malrapide diris:

-Bone. Mi aĉetos du viajn pejzaĝojn, tamen promesu, ke vi daŭrigos pentri.

La okuloj de la knabo ekbrilis.

-Vi havos poŝtelefonon, sed diru al mi pri kio alia vi revas? – demandis Ljuben.

La knabo eĉ ne hezitis kaj tuj respondis:

-Kiam mi estos plenaĝa, mi faros ekspozicion en la urba artgalerio kaj mia patro, kiun mi ne konas, venos, trarigardos miajn pentraĵojn kaj vidos, ke mi fariĝis pentristo.

-Iam vi certe faros grandan ekspozicion kaj via patro certe venos vidi ĝin – diris Ljuben. – Nun mi prenos tiujn ĉi du pentraĵojn.

Ljuben proksimiĝis al la benko, prenis du pentraĵojn kaj donis al Ruslan kelkajn monbiletojn.

-Mi certas, ke vi fariĝos fama pentristo – diris Ljuben.

꿈의 사냥꾼

나는 결코 꿈의 사냥꾼을 잊을 수 없을 것이다.

그 사람은 키가 크고 길어 어깨까지 늘어지고 바다의 파도처럼 곱슬곱슬한 하얀 머리카락에 몸이 말랐다.

꿈의 사냥꾼은 우리 작은 도시에 매년 7월 26일 왔다.

에스페란토 박사가 교본을 낸 7월 26일이기 때문에 그 날짜를 잘 기억한다.

우리 작은 도시는 7월 26일에 해마다 교회당 가까운 주요 광장에서 커다란 시장을 연다.

그때 두 개의 여행용 가방을 가지고 와서, 꿈의 사냥꾼은 광장 위에서 여행용 손가방을 열고 선글라스를 팔기 시작했다.

거의 스무 가지 종류의 남자, 여자, 어린이용 안경이 있다.

하루 내내 뜨거운 10월의 햇볕 아래 광장 위에 서 있다.

옆 작은 탁자 위에 거울이 있다.

꿈의 사냥꾼은 사람들이 거울 속에서 자신을 보는 것을 좋아하는 것을 잘 알고 거울에 대해 매우 조심스럽게 돌본다.

보통 많은 사람이 안경을 사러 온다.

꿈의 사냥꾼에게는 그것이 가장 큰 행복이다.

아주머니나 아가씨들에게 그들의 아름다움을 강조하는 놀라운 단어를 말한다.

요정과 님프에 비교하며 그들의 맑은 눈과 비단 같은 머리카락을 칭찬한다.

기뻐서 아주머니와 아가씨는 장미처럼 꽃이 피고 안경을 사고 날아갈 듯 떠난다.

저녁에 장날이 끝나면 사람들은 흩어지고 도시 광장은 조용해지며 그 위에 바람은 쓰레기, 더러운 플라스틱, 종이를 몰아내고 꿈의 사냥꾼은 큰 거울과 안경을 여행 가방에 넣고 떠났다. 천천히 광장 위를 걸으며 큰 키의 마른 몸매는 긴 그림자를 던진다.

우리 아빠의 식당 호텔로 왔다.

들어올 때 우리 아빠는 곧 말했다.

"어서 오세요. 꿈의 사냥꾼. 다시 여기 오셔서 기뻐요. 올해는 오시지 않을 거로 생각했어요."

"왜요?" 꿈의 사냥꾼이 대답했다.

하얀 이빨은 강낭콩 꽃씨처럼 빛났다.

"언젠가 장날이 없을 수는 있겠지만, 나는 항상 올 거예요." 꿈의 사냥꾼은 어느 탁자에 앉았다.

아빠는 가장 좋은 포도주와 가장 맛있는 치즈를 가지고 왔다. 아빠는 꿈의 사냥꾼이 포도, 치즈를 좋아한다는 것을 안다. 꿈의 사냥꾼은 체리 색 넥타이 매듭을 조금 느슨하게 하고, 천천히 조용하게 먹고 마시기 시작했다.

항상 꿈의 사냥꾼은 회색 복장에 이미 유행이 지난 하얀 와이셔츠에 체리 색 넥타이를 맸다.

아빠는 옆에 앉아 물었다.

"어디에 있었으며 어떤 꿈을 모았는지 이야기해 주세요."

꿈의 사냥꾼은 사랑스럽게 아빠를 바라보고 수수께끼처럼 빙긋 웃고 포도주를 조금 마시고 이야기를 시작했다.

우리, 아이들은 꿈의 사냥꾼이 전국을 다니며 안경을 팔고 여러 호텔에서 밤을 보내고 특별한 꿈을 꾼다고 알고 있다.

전에 잔 사람 호텔 침대에서 자면서, 그 사람의 꿈을 꾼다고 말했다.

그래서 우리는 꿈의 사냥꾼이라고 이름 지었다.

결코, 진짜 이름이 무엇인지 묻지 않았다.

"이야기해 주세요."

아빠가 참을 수 없어 부탁했다.

꿈의 사냥꾼은 천천히, 조용하게 말하기 시작했다.

목소리는 조금 부드럽고 시냇물 소리를 닮았다.

나는 지금 프로바디아라는 도시에서 왔어요.

거기서 호텔 '새벽'에서 묵었지요.

나는 전에 젊은 아가씨가 잔 침대에서 자면서 재미있는 꿈을 꾸었어요.

황금색 머리카락을 가진 아름다운 여자가 있었어요.

정거장에서 이미 떠나간 기차 뒤를 달렸어요.

달리고 달렸지만, 기차는 떠나갔어요.

정거장에 남았지요.

갑자기 여자 어깨 위에 크고 돛처럼 하얀 날개가 나타나는 것을 보았어요.

높이 높이 날아갔지요.

아래 기차가 어린아이의 장난감처럼 매우 작게 보였지요.

황금색 머리카락의 아가씨는 날고 날아서 양모 털을 묶어놓은 듯한 하얀 구름 속으로 사라졌어요.

다른 도시 타르노보에서, 30살로 보이는 외국에 사는 젊은이가 집에 돌아오는 꿈을 꾸었죠.

집에 돌아와 키 작고 마른 엄마에게 인사했지요.

그러나 엄마는 조용하고 인사를 안 해요.

엄마와 아들은 움직이지 않고 서로 마주 보고 서 있어요.

갑자기 엄마가 말을 시작했어요.

어떻게 그렇게 행동하니, 내 아들아. 왜 친구의 돈을 훔쳤니? 아들에게 엄마는 그것만 말했어요.

비딘이라는 도시에서 끈으로 만든 커다란 계단을 꿈꿨어요. 10살짜리 어린 남자아이가 겁 없이 하늘로 뻗은 이 계단 위로 갔어요.

가면서 웃고, 웃으면 크게 딸랑거리는 종소리가 났어요.

꿈의 사냥꾼이 꿈을 이야기하면 우리는 입을 벌리고 듣다 보니 어느새 자정이 된다.

마치 보이지 않는 안테나를 가져 그것으로 특별한 꿈을 느끼고, 깊고 놀랄만한 호수에서 퍼내는 듯하다.

듣다가 너무 늦어서 이야기를 더 들려달라고 고집할 수 없다.

꿈의 사냥꾼은 이야기를 그만두고 탁자에서 일어나 큰

여행 가방을 들고 방이 있는 2층으로 갔다.

"친구들, 잘 자. 나는 이 밤에 어떤 꿈을 꿀지 기대해."

우리는 쳐다보면서 커다란 여행 가방 안에는 안경이 아니라 수많은 기적의 꿈이 있는 듯 생각했다.

나는 내가 어렸을 때 기적의 꿈을 믿었는지 모르지만 꿈의 사냥꾼은 우리 앞에 놀라운 세계의 문을 열어 주고, 환상을 갖게 했다.

정말로 삶에서 우리에게 환상에 이르는 길을 가르쳐 줄 누군가가 반드시 있어야 한다.

ĈASISTO DE SONĜOJ

Neniam mi forgesos la ĉasiston de sonĝoj. Li estis alta, maldika kun blanka hararo longa ĝis la ŝultroj, krispa kiel maraj ondoj. La ĉasisto de sonĝoj venis en nian urbeton ĉiujare la 26-an de julio. Mi bone memoras la daton, ĉar la 26-an de julio aperis la lernolibro de doktoro Esperanto. Ĉiujare la 26-an de julio en nia urbeto, sur la ĉefa placo, proksime al preĝejo, estas granda bazaro.

Tiam la ĉasisto de sonĝoj venis kun du valizoj, ekstaris sur la placo, malfemis la valizojn kaj li komencis vendi okulvitrojn kontraŭ la suno. Estis preskaŭ dudek diversspecaj okulvitroj – por viroj, virinoj, infanoj. Tutan tagon li staris sur la placo sub la varmega julia suno. Ĉe li, sur la eta tablo, estis spegulo. La ĉasisto de sonĝoj bone sciis, ke la homoj ŝatas rigardi sin en speguloj kaj tial li tre zorgis pri tiu ĉi sia spegulo. Kutime multaj homoj venis aĉeti okulvitrojn kaj por la ĉasisto de sonĝoj tio estis la plej granda feliĉo. Tiam al virinoj kaj junulinoj li diris mirindajn vortojn per kiuj li emfazis ilian belecon. Li komparis ilin al feinoj kaj nimfoj, admiris iliajn serenajn okulojn kaj silkajn hararojn. Pro ĝojo la virinoj kaj la junulinoj floris kiel rozoj, ili aĉetis okulvitrojn kaj foriris kvazaŭ flugantaj.

Vespere, kiam la bazartago finiĝis, kiam la homoj disiĝis, la urba placo silentiĝis kaj sur ĝi nur la vento pelis la rubaĵojn, malpurajn plastajn glasojn kaj paperojn, la ĉasisto de sonĝoj remetis la grandan spegulon kaj la okulvitrojn en la valizojn kaj ekiris. Li malrapide paŝis sur la placon kaj lia alta maldika figuro ĵetis longan ombron. Li venis en la restoracion-hotelon de mia patro. Kiam li eniris, mia paĉjo tuj diris:

-Bonan venon, ĉasisto de sonĝoj. Mi ĝojas, ke vi denove estas ĉi tie. Mi opiniis, ke ĉijare vi ne venos.

-Kial ne? – respondis la ĉasisto de sonĝoj kaj liaj blankaj dentoj brilis kiel fazeolaj semoj. – Povas okazi, ke iam bazartago ne estos, sed mi ĉiam venos.

La ĉasisto de sonĝoj sidis ĉe iu tablo kaj paĉjo alportis la plej bonan ruĝan vinon kaj la plej bongustan fromaĝon. Paĉjo sciis, ke li ŝatas vinon kaj fromaĝon. La ĉasisto de sonĝoj iom malstreĉigis la nodon de sia ĉerizkolora kravato kaj komencis malrapide kaj trankvile manĝi kaj trinki. Ĉiam li surhavis grizkoloran kostumon, jam malmodan, blankan ĉemizon kaj ĉerizkoloran kravaton. Paĉjo sidis ĉe li kaj demandis:

-Bonvolu rakonti kie vi estis kaj kiajn sonĝojn vi kolektis.

La ĉasisto de sonĝoj rigardis kare paĉjon, ridetis enigme, trinkis iom el la vino kaj komencis rakonti. Ni, la infanoj, sciis, ke li vagas tra la tuta lando, vendas okulvitrojn, tranoktas en diversaj hoteloj kaj sonĝas neordinarajn sonĝojn. Li diris, ke li sonĝas la sonĝojn de la homoj, kiuj antaŭ li dormis en la hotelaj litoj, en kiuj poste li dormis. Tial ni nomis lin ĉasisto de sonĝoj. Neniam ni demandis kio estas lia vera nomo.

-Rakontu – petis paĉjo senpacience.

Kaj la ĉasisto de sonĝoj komencis rakonti malrapide, trankvile. Lia voĉo estis iom mola, simila al roja susuro.

-Mi venas nun el urbo Provadia. Tie mi tranoktis en hotelo "Tagiĝo". Mi dormis en lito, en kiu verŝajne antaŭe dormis junulino kaj mi sonĝis interesan sonĝon. Estis belulino kun ora hararo. Ŝi kuris sur kajo post forveturanta vagonaro. Ŝi kuris, kuris, sed la vagonaro foriris kaj ŝi restis sur la kajo. Subite mi vidis, ke sur la ŝultroj de la belulino aperis flugiloj, grandaj, blankaj kiel veloj. Ŝi etendis la flugilojn kaj ekflugis al la ĉielo. Ŝi flugis alten, alten. Malsupre la vagonaro iĝis tre malgranda kiel infana ludilo. La orharara belulino flugis, flugis kaj malaperis en blankan nubon, similan al lantufo.

En alia urbo, Tarnovo, mi sonĝis, ke junulo, verŝajne tridekjara, kiu estis eksterlande, revenis hejmen. Li eniris la domon, salutis sian patrinon, malaltan, magran virinon, sed ŝi silentis kaj ne salutis lin. La patrino kaj la filo staris senmovaj   unu kontraŭ la alia. Subite la patrino ekparolis: "Kiel vi agis tiel, filo mia? Kial vi ŝtelis la monon de via amiko?" Nur tion diris la patrino al sia filo.

En urbo Vidin mi sonĝis grandan ŝnuran ŝtuparon. Dekjara knabo sentime iris sur tiun ĉi ŝtuparon al la ĉielo. Li iris kaj ridis kaj lia rido tintis kiel forta sonorilo.

La ĉasisto de sonĝoj rakontis la sonĝojn, ni gapante aŭskultis lin kaj nerimarkeble iĝis noktomezo. Li kvazaŭ havis nevideblajn antenojn per kiuj li perceptis siajn neordinarajn sonĝojn aŭ li elprenis ilin el profunda mirinda lago. Ni aŭskultis, sed jam estis tre malfrue, ni komencis oscedi.

La ĉasisto de sonĝoj ĉesis rakonti, li ekstaris de la tablo, prenis siajn grandajn valizojn kaj ekiris al la dua etaĝo, kie estis la dormoĉambroj de la hotelo. Li diris.

-Amikoj, bonan nokton, mi scivolas kian sonĝon mi sonĝos ĉi nokte.

Ni rigardis lin kaj ŝajnis al ni, ke en liaj grandaj valizoj ne estas okulvitroj, sed sennombraj miraklaj sonĝoj.

Mi ne scias, ĉu tiam, kiam mi estis infano, mi kredis je liaj miraklaj sonĝoj, sed la ĉasisto de sonĝoj malfermis antaŭ ni pordon de mirinda mondo kaj igis nin revi. Ja, en la vivo nepre devas esti iu, kiu montros al ni la vojon al la revoj.

보물

기적의 보물에 대해 보안의 할아버지가 이야기하셨다.
"오래전 '성 니콜라스' 섬에 언젠가 파견 대장 안겔의 엄청난 보물이 숨겨져 있단다."
할아버지가 말씀하셨다.
"거기 수도원 아래 숨겨져 있어.
나는 정확히 어디에 있는지 알아.
그러나 아쉽게도 가질 수 없구나.
정말로 지금 섬은 군사 영토야.
조심해서 지키고 있고, 민간인은 거기 들어갈 수조차 없어."
할아버지는 가끔 오래된 상자에서 지도가 그려진 누런 종이를 보여주셨다.
그것을 근시(近視)의 눈으로 쳐다보시고 흰 머리카락의 머리를 아쉬운 듯 흔드셨다.
"여기" 지도를 보여주시며 감정에 겨워 목소리가 떨렸다.
"여기가 섬이야."
종이 위에 그려진 것은 이미 분명하지 않았지만, 할아버지는 그것을 슬그머니 보고도, 마치 외운 듯이 지도위의 모든 선, 십자표, 원, 점이 무엇을 의미하는지 아신다.
"이곳이 바다야." 설명하셨다.
"이곳이 해안이고, 이 원이 섬이야.
여기에 수도원이 보이고, 그 오른쪽에 우물이 있어.
여기 이 작은 원, 우물 안에는 물이 없어, 오래전부터 이미 말라 결코 물이 없단다.

보물을 찾기 원하는 자는 우물 속으로 들어가야 해.

거기에 동굴이 있고 그곳을 통과해서 수도원 기도 장소 아래 보물 있는 곳으로 가.

거기에 돌로 만든 판이 있고, 그 위에 새겨진 십자가가 있지. 돌판 아래 보물이 있단다.

나는 잘 알지만, 그 섬에 갈 수가 없구나.

지금 군인이 지키고 있고 새들조차 거기 날아갈 수 없어."

보얀은 할아버지의 이야기를 잘 기억했고, 할아버지가 돌아가시자 지도를 몰래 숨겼다.

세월이 흘렀다.

보얀은 끊임없이 보물에 대해 생각했다.

그것을 꿈꾸고 몰래 섬에 들어가서 우물 속으로 내려가고 동굴 속을 통과해서 십자가가 새겨진 돌판을 발견하고 보물을 들고, 그 뒤 조용히 아무도 모르게 집으로 돌아오는 것을 상상했다.

어느 날 군인이 더 섬을 지키지 않는다고 알렸다.

거기에서 군사 기술장비와 기구들을 철거했다.

1년 뒤 섬의 수도원은 다시 새롭게 꾸몄다.

호텔과 현대적인 식당을 짓고 날마다 작은 배가 섬으로 관광객을 실어 날랐다.

'이제야 보물을 찾으러 갈 때가 왔구나'

보얀은 스스로 말했다.

낚싯배를 가지고 때때로 낚시하는 습관이 있다.

어느 밤 목적을 이루려고 섬으로 출발하기 위해 주의를 기울여 준비했다.

모든 필요한 것, 지도, 끈, 손전등, 도구를 챙겼다.

낚싯배가 있는 해안으로 가서 배를 바다로 밀어 노를 젓기 시작했다.

자정이 지나 섬에 도착한 뒤, 배를 작은 정박장에 묶고 조용히 수도원으로 걸어갔다.

오른쪽에 우물이 보였다.

어둡고 조용했다.

아무것도 볼 수 없고 아무 소리도 들리지 않았다.

오직 바다에서 단조로운 파도의 철썩거리는 소리만 날아왔다.

보안은 끈을 묶고 우물로 내려가 동굴을 보고, 그 안으로 들어가 십자가가 새겨진 돌판이 있는 곳을 발견했다.

조금 힘겹게 돌판을 들고, 그 아래 상자를 보고, 그것을 열자 혼수상태에 빠졌다.

상자는 황금 동전이 가득했다.

놀라서 한 마디 소리도 낼 수 없었다.

살면서 그렇게 많은 황금 동전을 결코 본 적이 없다.

끝없는 기쁨이 보안을 사로잡았다.

이미 어떻게 할 것인지 안다.

커다란 화려한 집, 현대적인 차, 빌라를 사고, 지금부터 삶은 행복하고 걱정이 없다.

황금 동전을, 가지고 온 큰 가방에 넣고 뒤로 나왔다.

마치 날개를 가진 듯 걷지 않고 날아갔다.

그러나, 들어간 동굴이 다른 동굴로 안내했고 나중에 세 번째 동굴로 이끌었다.

그래서 보얀은 진짜 방향을 잃었다.

돌아와 다시 앞으로 갔다.

그러나 도착했던 동굴이 없다.

여러 시간 갔다가 돌아오고, 다시 갔다가 했지만, 소용이 없다. 동굴에서 나올 수 없다.

지쳐서 쓰러져 결코 더는 동굴에서, 이 지옥 같은 미로에서 나가는 데 성공할 수 없음을 알았다.

아침에 보얀의 가족들은 보얀이 집에 없는 것을 보았지만 어디로 갔는지 모른다.

3일을 기다리다 경찰에 사라졌다고 알렸다.

경찰이 보얀을 찾았으나 효과가 없었다.

어디에서도 찾지 못했다.

오직 보얀의 낚싯배가 '성 니콜라스' 섬의 정박장에 묶인 채 남아있다.

LA TREZORO

Pri la mirakla trezoro rakontis la avo de Bojan. Antaŭ multaj jaroj sur la insulo "Sankta Nikolao" estis kaŝita la granda trezoro de iama taĉmentestro Angel.

-Ĝi estas kaŝita – diris la avo - tie, sub la monaĥejo. Mi scias kie ĝuste ĝi estas, sed bedaŭrinde mi ne povas preni ĝin. Ja nun la insulo estas armea teritorio. Oni zorge gardas ĝin kaj civila persono ne povas iri tien.

La avo ofte prenis el malnova kesto flaviĝintan paperon, sur kiu estis desegnita mapo. Li rigardis ĝin per siaj miopaj okuloj kaj balanciis sian blankharan kapon.

-Jen – montris li la mapon kaj lia voĉo tremis pro emocio. – Tio ĉi estas la insulo.

La desegnaĵo sur la papero jam tute malklaris, sed la avo strabis ĝin kaj kvazaŭ parkere sciis kion signifas ĉiuj streketo, kruceto, cirklo kaj punkto sur la mapo.

-Tio estas la maro – klarigis li. – Tio estas la bordo kaj tiu ĉi cirklo - la insulo. Ĉi tie estas montrita la monaĥejo kaj oriente de ĝi troviĝas puto. Jen, tiu ĉi eta cirklo. En la puto ne estas akvo, delonge ĝi sekiĝis aŭ en ĝi neniam estis akvo. Kiu deziras trovi la trezoron, devas eniri la puton. Tie estas tunelo kaj tra ĝi oni iros al la loko, kie estas la trezoro, sub la altaro de la monaĥeja preĝejo. Tie estas ŝtonplato kaj sur ĝi - ĉizita kruco. Sub la ŝtonplato estas la trezoro. Bone mi scias, sed ne eblas iri al la insulo. Nun soldatoj gardas ĝin kaj eĉ birdo ne povas traflugi tie.

Bojan bone memoris la rakonton de la avo kaj kiam la avo mortis, Bojan prenis la mapon kaj kaŝis ĝin.

La jaroj pasis. Bojan senĉese meditis pri la trezoro, sonĝis ĝin, imagis, ke kaŝe li iras al la insulo, descendas en la puton, ekiras en la tunelon, trovas la ŝtonplaton kun la ĉizita kruco, prenas la trezoron kaj poste silente kaj nerimarkeble revenas hejmen.

Iun tagon tamen oni anoncis, ke la armeo ne plu okupos la insulon. Oni forveturigis de tie la armeajn teknikaĵojn kaj aparataron.

Post unu jaro la monaĥejo sur la insulo estis renovigita, oni konstruis hotelon, modernan restoracion kaj ĉiutage ŝipeto veturigis turistojn al la insulo.

"Jen alvenis la momento, ke mi iru por la trezoro – diris al si mem Bojan."

Li havis fiŝkaptistan boaton kaj de tempo al tempo li kutimis fiŝkaptadi.

Iun nokton Bojan atente preparis sin por ekiri al la insulo kaj realigi sian celon. Li prenis ĉion necesan: la mapon, ŝnuron, poŝlanternon, ilojn, iris al la marbordo, kie estis la boato, puŝis ĝin en la maron kaj ekremis.

Pasis noktomezo, kiam Bojan venis al la insulo, ligis la boaton ĉe la eta kajo kaj silente ekpaŝis al monaĥejo. Oriente de la monaĥejo li vidis la puton. Regis mallumo kaj silento. Neniu videblis kaj nenio aŭdeblis. Nur de la maro alflugis la monotona plaŭdo de la ondoj.

Bojan ligis la ŝnuron, descendis en la puton, vidis la tunelon, ekiris en ĝin, trovis la lokon, kie estis la ŝtonplato kun ĉizita sur ĝi kruco. Iom malfacile li levis la ŝtonplaton kaj sub ĝi vidis keston, li malfermis ĝin kaj stuporiĝis. La kesto estis plen-plena je oraj moneroj. Pro miro Bojan eĉ sonon ne povis prononci. Tiom da ormoneroj li neniam vidis en la vivo. Obsedis lin senlima ĝojo. Jam li sciis kiel agos. Li aĉetos grandan luksan domon, modernan aŭton, vilaon kaj de nun lia vivo estos feliĉa kaj senzorga.

Bojan metis la ormonerojn en la grandan sakon, kiun li portis kaj ekiris reen. Li kvazaŭ havis flugilojn kaj ne iris, sed flugis. Tamen la tunelo, en kiun li iris, gvidis lin al alia tunelo, poste al tria kaj Bojan perdis la veran direkton. Li revenis, poste denove ekiris antaŭen, sed denove ne trovis la tunelon, laŭ kiu li alvenis. Dum horoj li iris, revenis kaj denove iris, sed vane. Li ne povis eliri el la tuneloj. Elĉerpita li falis kaj konsciis, ke plu neniam li sukcesos eliri el la tuneloj, el tiu ĉi diabla labirinto.

Matene la familianoj de Bojan vidis, ke li ne estas hejme kaj ne sciis kien li iris. Ili atendis lin tri tagojn kaj anoncis en la polico, ke li malaperis. La polico serĉis lin, sed vane. Oni nenie trovis lin.

Nur lia fiŝkaptista boato restis ligita ĉe la kajo de la insulo "Sankta Nikolao".

특별한 제안

필립은 눈을 떴다.
처음에는 자기 둘레 모두가 하얀 듯 보였다.
'내가 어디 있지?' 궁금했다.
'내가 꿈을 꾸고 있나?'
그러나 꿈꾸지 않고 하얀 침대보에 덮여 침대에 누워있었다.
거의 모든 순간 침대 위에서 움직이지 않고 있다.
나중에 노인이 가까이 왔다.
대리석 바닥에 슬리퍼 끄는 소리를 들었다.
노인이 필립 위로 고개를 숙이더니 빙긋 웃었다.
대략 70세로 짙은 흰 머리, 회색 수염, 빛나는 검은 눈을 가졌다.
"마침내 일어났군." 조용히 말하자 필립은 목소리에서 따뜻함, 걱정하는 마음을 느꼈다.
발음이 이상했다.
"몸은 어때요?"
모르는 노인이 큰 눈으로 필립을 보면서 물었다.
무엇이라고 말을 하려고 했지만, 힘이 없어 눈만 깜빡했다.
"깨어났군. 깨어났어." 노인은 되풀이했다.
몇 분 뒤 서로를 쳐다보고 필립이 간신히 입을 열었다.
"여기가 어디예요?"
"병원이죠." 노인이 대답했다.

"병원이요? 무슨 일이죠?"

"기억이 안 나나요? 사고가 나서 일주일 전에 여기로 왔어요. 하나님의 은혜로 깨어났네요.
위험한 고비는 지나갔어요."

"어느 병원이지요?" 필립이 물었다.

"테살로니카에 있는 시립 병원이에요."

"테살로니카?" 필립은 되풀이하고 천천히 무슨 일이 있었는지 기억하기 시작했다.

친구 안토, 미로와 함께 필립은 자동차를 타고 그리스로 여행했다.

안토는 소피아에서 판매점을 하면서 아테네에서 상품을 사야 한다.

필립과 미로는 안토를 따라 왔다.

아테네에서 돌아오는 길에 몇 군데 그리스 도시를 방문했다.

유쾌한 여행이었다.

그러나 테살로니카 근처에서 자동차가 다른 차와 부딪쳤다.

안토와 미로는 다행히 상처를 입지 않았지만, 필립은 크게 다쳐 정신을 잃었다.

"이미 일주일 동안 병원에 있었어요." 늙은이가 설명했다.

"내 친구는 어디 있죠?"

"모두 건강하고, 당신을 보러 왔지만, 그리스에서 더 머물 수 없었죠.
돈이 떨어져 불가리아로 가면서 당신을 돌봐달라고 내게

맡겼어요."

"감사합니다."

"내게 아니라 구해주신 하나님께 하세요."

이틀 뒤 필립은 앉기 시작했고 방에서 몇 걸음 걸었다.
코스타스 아저씨라고 불리는 늙은이는 계속 돌보며, 물도 주고, 도와주고, 필립이 방에서 걷는 동안 붙잡아 주었다.

"아저씨." 필립이 물었다.

"불가리아 말을 잘 하시네요. 그런데 발음이 조금 이상해요. 어디에서 배웠어요?"

"할머니한테 배웠소. 그러나 돌아가시자 다 잊었지. 어머니가 불가리아 말로 말하는 것을 싫어해서. 그러나 지금 젊은이와 함께 그 말을 다시 하기 시작했어."

"왜 병원에 계세요?" 필립이 물었다.

"나는 오래된 병이 있어. 위가 아파서 때로 여기서 치료해."

날마다 의사들이 환자를 방문해서 필립은 언제 병원에서 나갈 수 있냐고 물었다.

의사들은 아주 건강해졌다고 확신하도록 아직 며칠 더 머물러야 한다고 대답했다.

밖에 있는 나무들은 푸르렀다.

하늘은 투명하게 파랗고 햇볕은 폭포수 같다.

필립은 빨리 병원을 나와 불가리아로 돌아가고 싶었다.

날마다 친구들이 전화해서 이제 건강해졌다고 기뻐했다.

오후에 필립과 코스타스 아저씨는 병원 가까운 공원으로

습관적으로 산책한다.

의자에 앉아 대화한다.

필립은 자신과 소피아에 관해 이야기한다.

필립은 컴퓨터 분야 기술자로, 소피아에 지인이나 친구가 많이 없다고 아저씨에게 말했다.

올리브 나무 아래 의자에 앉아 코스타스 아저씨는 필립을 쳐다보며 천천히 말했다.

"필립, 뭔가 말하고 싶네."

"말하세요. 아저씨." 필립이 빙긋 웃었다.

"딸 이야긴데, 30살 된 딸이 하나 있어. 이름이 이리나지. 내 아내는 5년 전에 죽었어. 이리나는 아테네에 살면서 일하고 있는데 아직 미혼이라 걱정돼. 이미 결혼해서 아이도 있어야 하는데 나는 늙었고 손자를 보고 싶어. 나는 얼마나 더 살지 몰라. 내 딸을 만나 결혼하기를 원해."

필립은 놀라서 쳐다보았다

"진지하게 말씀하세요. 코스타스 아저씨."

"맞아. 내 딸은 예뻐. 곧 보겠지. 며칠 뒤 병원에 올 거야."

"그러나 우리는 서로 몰라요. 이리나 마음에 안 들 수 있어요." 필립이 말했다.

"당신이 마음에 든대. 전화로 딸에게 당신은 꽤 훌륭한 청년이고, 잘 교육받았고, 지적이라고 말했네."

"그러나 코스타스 아저씨. 너무 걱정하지 마세요. 아저씨와 이리나는 잘 살 거예요. 가정에 부족한 것이 없잖아요."

"나는 올리브 나무숲과 오렌지 정원을 가지고 있어. 여기 테살로니카에 큰 집이 있고 아테네에는 값비싼 아파트가 있지. 돈도 많아. 누군가 유산을 받아야 하는데 아쉽게도 아직 이리나는 결혼하지 않았네. 혼자 사는 것을 원치 않아. 반드시 좋은 남편을 찾아야 해. 그래서 젊은이에게 말하려고 결심했지. 좋은 청년이고 불가리아 사람이잖아. 나와 이리나 안에는 불가리아 피가 있어. 자녀를 가질 것이고 그러면 우리 종족을 이어 가겠지. 예라고 말해 주게. 젊은이는 이리나 마음에 들어. 이리나는 나를 닮았네. 젊은이가 이리나는 마음에 들어. 마르고 키가 크고 파란 눈에 밝은 머리카락을 가졌지. 이리나는 나와 닮았어. 검은 눈과 검은 머리카락을 가졌네."

"코스타스 아저씨, 모든 것을 생각하였지만 저는 그리스에서 사는 것을 좋아하지 않습니다."

"젊은이는 결혼하지 않았지?"

"예." 필립이 대답했다.

"그럼 문제가 안되네. 사람은 잘 지내는 곳에 살아. 여기에 모든 것을 가지고 있네. 젊은이와 이리나는 테살로니카나 아테네 어디서든 살 수 있어. 그 가정의 삶을 성가시게 하지 않아. 둘은 행복하고 자녀도 있고 서로 잘 이해할 거야."

코스타스 아저씨는 조용해졌다.

"아버지가 되는 것은 책임감이 필요해요."

필립은 오래도록 생각했다.

아버지는 자녀가 잘되라고 돌본다. 코스타스 아저씨는 이리나가 아직 결혼하지 않아 걱정했다. 아저씨는 손자를 원한다. 아저씨는 일하고 집과 정원을 가지고 있다. 자연스럽게 누가 자기 일을 계속 이어가고 살면서 얻은 것을 잘 돌보기 원한다.

이틀 뒤 아버지를 보기 위해 이리나가 병원에 왔다.

코스타스 아저씨는 필립을 딸에게 소개했다.

정말로 이리나는 아름답고 날씬한 몸매에 역청 색깔의 긴 머리카락, 코스타스 아저씨의 눈처럼 빛나는 눈을 하고 있지만 가장 아름다운 것은 친절하고 좋은 인상을 주는 웃음이었다. 이리나는 대략 30살에 달콤한 즙이 있는 익은 과일에 딱 맞는 나이였다.

이리나는 불가리아 말을 몰라 필립과 서로 영어로 이야기했다. 이리나는 필립에게 어떻게 지내는지, 무엇을 도와드릴 것인지 물었다.

이리나는 필립이 병원에서 나간 뒤 며칠간 테살로니카에 있는 아빠 집에서 머물기를 원했다.

이리나는 아빠가 필립에 관해 이야기했고 필립을 아들처럼 좋아한다고 말했다.

코스타스 아저씨는 그들 옆에 앉아 그들의 이야기를 들었다. 비록 영어를 이해하지 못할지라도 얼굴에는 끝없는 행복이 보인다.

다음날 필립의 친구 안토가 왔다.

필립은 소피아로 돌아갈 준비를 했다.

코스타스 아저씨에게 헤어지는 인사를 했다.

아저씨는 작은 쪽지를 주며 말했다.

"여기 주소와 전화번호가 있네. 깊이 생각하고 결심하면 오게. 우리는 큰 결혼 축하를 할 거야."

"정말 감사합니다. 코스타스 아저씨. 모든 것에 감사합니다. 도와주고 돌봐주셔서. 아저씨나 이리나에게 거짓말을 하고 싶지 않아요. 진지하게 제안을 받아들일 수 없다고 말씀드립니다. 저는 친척을 떠나 여기 살기 위해 올 수 없습니다. 모든 나무는 심은 곳에서 자란다는 것을 아실 것입니다." 필립이 말했다.

"그래. 맞네. 건강하고 잊지 말게. 불가리아까지 좋은 여행이 되기를 바라네." 아저씨가 말했다.

필립은 아저씨의 손을 잡고 쳐다보며 다시 눈에서, 병원 입원실에서 처음 아저씨가 말을 걸었을 때 본 사랑의 마음을 알아차렸다.

NEORDINARA PROPONO

Filip malfermis okulojn. En la unua momento ŝajnis al li, ke ĉio ĉirkaŭ li estas blanka."Kie mi estas? – demandis sin Filip. – Ĉu mi sonĝas?" Sed li ne sonĝis, kuŝis en lito, kovrita per blanka littuko. Preskaŭ tutan minuton li restis senmova en la lito. Poste al li proksimiĝis maljuna viro. Filip aŭdis la bruon de liaj pantofloj sur la marmora planko. La viro kliniĝis super Filip kaj ekridetis. Li estis ĉirkaŭ sepdekjara kun densa blanka hararo, grizaj lipharoj kaj nigraj okuloj, kiuj brilis.

-Fin-fine vi vekiĝis – ekparolis la viro mallaŭte kaj Filip eksentis en lia voĉo varmecon kaj zorgemon, sed lia prononco estis stranga. – Kiel vi fartas? – demandis la nekonata viro, rigardante Filip per siaj grandaj okuloj.

Filip provis ion respondi, sed ne havis fortojn kaj nur palpebrumis.

-Vi vekiĝis, vi vekiĝis – ripetis la viro.

Kelkajn minutojn ili rigardis unu la alian kaj poste Filip pene ekflustris:

-Kie mi estas?

-En hospitalo – respondis la viro.

-Ĉu en hospitalo? Kio okazis?

-Ĉu vi ne memoras? Vi katastrofis kaj oni alportis vin ĉi

tien antaŭ semajno, sed dank' al Dio vi vekiĝis. La danĝero pasis.

-En kiu hospitalo mi estas? – demandis Filip.

-En la urba hospitalo, en Tesaloniko.

-En Tesaloniko – ripetis Filip kaj komencis malrapide rememori kio okazis.

Kun siaj amikoj Anton kaj Miro, Filip vojaĝis aŭte al Greklando. Anton havis vendejon en Sofio kaj devis aĉeti varojn de Ateno. Filip kaj Miro akompanis lin. Reveninte de Ateno, ili vizitis kelkajn grekajn urbojn. Estis agrabla veturado, sed proksime al Tesaloniko ilia aŭto koliziis kun alia aŭto. Anton kaj Miro feliĉe ne vundiĝis, sed Filip perdis la konscion.

-Jam tutan semajnon vi estas en la hospitalo – klarigis la maljunulo.

-Kie stas miaj amikoj?

-Ili bone fartas, venis vidi vin, sed ne povis plu resti en Greklando. Ilia mono elĉerpiĝis kaj ili forveturis al Bulgario, petis min, ke mi zorgu pri vi.

-Dankon.

-Ne danku al mi, sed al Dio, kiu savis vin.

Post du tagoj Filip komencis ekstari kaj faris kelkajn paŝojn en la ĉambro. Oĉjo Kostas, tiel nomiĝis la maljunulo, daŭre zorgis pri li, donis al Filip akvon, helpis lin, apogis lin, kiam Filip paŝis en la ĉambro.

-Oĉjo Kostas – demandis foje Filip – vi sufiĉe bone parolas bulgaran lingvon, sed via prononco estas iom stranga. Kie vi lernis ĝin?

-Mi lernis la lingvon de mia avino, sed kiam ŝi mortis, mi forgesis ĝin. Mia patrino evitis paroli bulgare, sed nun kun vi mi komencis rememori la lingvon.

-Kaj kial vi estas en la hospitalo? – demandis Filip.

-Mi havas malnovan malsanon. Mia stomako doloras kaj de tempo al tempo oni kuracas min ĉi tie.

Ĉiutage la kuracistoj vizitis la malsanulojn kaj Filip demandis ilin kiam oni ellasos lin el la hospitalo. La kuracistoj respondis, ke li devas resti ankoraŭ kelkajn tagojn, por ke ili estu certaj, ke li bone resaniĝis.

Ekstere la arboj verdiĝis. La ĉielo diafane bluis kaj la suna lumo estis kiel akvofalo. Filip deziris pli baldaŭ forlasi la hospitalon kaj reveni en Bulgarion. Ĉiutage liaj amikoj telefonis al li kaj ili ĝojis, ke Filip jam bone fartas.

Posttagmeze Filip kaj oĉjo Kostas kutimis promenadi en la parko de la hospitalo. Ili sidis sur benko kaj konversaciis. Filip rakontis pri si, pri Sofio. Li estis inĝeniero, fakulo pri komputiloj kaj diris al la maljunulo, ke jam ege mankas al li la konatoj kaj la parencoj en Sofio.

Foje, kiam ili sidis sur benko sub olivarbo, oĉjo Kostas alrigardis Filip kaj malrapide ekparolis:

-Filip, mi deziras diri ion al vi.

-Diru, oĉjo Kostas – ekridetis Filip.

-Temas pri mia filino. Mi havas nur unu tridekjaran filinon. Ŝia nomo estas Irini. Mia edzino forpasis antaŭ kvin jaroj. Irini loĝas kaj laboras en Ateno, sed ŝi ne estas edzinita kaj tio maltrankviligas min. Ŝi devas jam edziniĝi, havi infanojn. Mi estas maljuna kaj mi deziras vidi nepojn. Mi ne scias kiom da tempo mi ankoraŭ vivos. Do, mi deziras konatigi vin kun Irini kaj vi edziĝu al ŝi.

Filip alrigardis lin konsternite.

-Ĉu vi parolas serioze, oĉjo Kostas?

-Jes. Mia filino estsas bela. Vi vidos ŝin. Post kelkaj tagoj ŝi venos en la hospitalon.

-Sed ni ne konas unu la alian. Povas esti, ke mi ne plaĉos al Irini – diris Filip.

-Vi plaĉos al ŝi. Mi parolis telefone kun ŝi kaj mi diris, ke vi estas tre bona junulo, edukita, inteligenta.

-Sed oĉjo Kostas…

-Ne maltrankviliĝu. Vi kaj Irini vivos tre bone. Nenio

mankos al via familio. Mi havas olivan arbaron, oranĝajn ĝardenojn. Ĉi tie, en Tesaloniko, mi havas grandan domon kaj en Ateno – luksan apartamenton. Mi havas monon. Iu devas heredi mian havaĵon, sed bedaŭrinde Irini ankoraŭ ne edziniĝas. Mi ne deziras, ke ŝi vivu sola. Ŝi nepre devas trovi bonan edzon. Tial mi decidis paroli kun vi. Vi estas bona junulo. Vi estas bulgaro. En mi kaj en Irini same estas bulgara sango. Vi ambaŭ havos infanojn kaj tiel vi daŭrigos nian genton. Diru "jes". Vi plaĉos al Irini. Ŝi similas al mi. Al ŝi plaĉas viroj kiel vi. Vi estas svelta, alta kun bluaj okuloj kaj hela hararo. Irini estas kiel mi. Ŝi havas nigrajn okulojn kaj nigran hararon.

-Oĉjo Kostas, vi ĉion pripensis, sed mi ne ŝatas loĝi en Greklando.

-Vi ne estas edziĝita, ĉu ne?

-Ne – respondis Filip.

-Do, ne estas problemo. La homo loĝas tie, kie bone fartas. Ĉi tie vi havos ĉion. Vi kaj Irini povus loĝi aŭ en Tesaloniko, aŭ en Ateno. Mi ne ĝenos vian familian vivon. Vi kaj Irini estos feliĉaj, vi havos infanojn kaj vi bone interkompreniĝos.

Oĉjo Kostas eksilentis.

"Esti patro – estas respondeco – meditis Filip. – La patroj zorgas pri la bono de siaj infanoj. Oĉjo Kostas maltrankvilĝis, ke Irini ankoraŭ ne edziniĝas. Li deziras nepojn. Li laboris, havas domojn, ĝardenojn kaj nature li deziras, ke iu daŭrigu lian laboron, iu zorgu pri tio, kion li akiris en la vivo."

Post du tagoj Irini venis en la hospitalon por viziti sian patron. Oĉjo Kostas konatigis ŝin kun Filip. Vere ŝi estis bela, havis sveltan korpon, ŝia hararo estis longa, peĉkolora kaj ŝiaj okuloj brilis kiel la okuloj de oĉjo Kostas, sed la plej bela estis ŝia rideto, kara kaj bonanima. Irini estis ĉirkaŭ tridekjara, ĝuste en tiu ĉi aĝo, kiam la virinoj estas kiel maturaj fruktoj kun dolĉa suko.

Irini ne sciis bulgaran lingvon kaj Filip kaj ŝi konversaciis angle. Ŝi demandis Filip kiel li fartas kaj ĉu ŝi povus helpi lin per io. Ŝi proponis al li, ke post la eliro el la hospitalo, li restu kelkajn tagojn en la domo de ŝia patro en Tesaloniko. Irini diris, ke oĉjo Kostas rakontis al ŝi pri Filip kaj oĉjo Kostas ekamis Filip kiel filon.

Oĉjo Kostas sidis apud ili, aŭskultis ilin, malgraŭ ke li ne komprenis anglan, sed lia vizaĝo esprimis senliman feliĉon.

La sekvan tagon alvenis Anton, la amiko de Filip, kaj Filip preparis sin reveni en Sofion. Li adiaŭis oĉjon Kostas. La maljunulo donis al li papereton.

-Jen – diris li – estas mia adreso kaj telefonnumero.

Pripensu kaj se vi decidus, venu. Ni faros grandan edziĝfeston.

-Koran dankon, oĉjo Kostas. Dankon pro ĉio, pri la helpo kaj la zorgoj, sed mi ne deziras mensogi vin, nek Irini. Sincere mi diras al vi, ke mi ne povas akcepti vian proponon. Mi ne povas forlasi miajn parencojn kaj veni loĝi ĉi tie. Vi scias, ke ĉiu arbo kreskas tie, kie oni plantis ĝin – diris Filip.

-Jes, vi pravas. Estu sana kaj ne forgesu min. Mi deziras al vi bonan vojaĝon al Bulgario – diris la maljunulo.

Filip manpremis lin, alrigardis lin kaj denove rimarkis en liaj okuloj la karecon, kiun li vidis, kiam oĉjo Kostas alparolis lin unuan fojon en la hospitala ĉambro.

듀코브 씨와 인형

모든 일은 7월 오후에 시작되었다.

듀코브는 집으로 서둘렀다.

땀이 나고 목이 아파, 집에 돌아와서 곧 옷을 벗고 차가운 물이 시원하게 해주는 욕실에 들어가려고 계획했다.

길 위를 걷다가 무엇이 멈추게 해서, 옆으로 지나가던 가게 진열장을 보았다.

작은 고물가게 진열장이었다.

보통 작은 고물가게 진열장에는 오래된 책, 꽃병, 그림, 음악기구, 촛불 꽃이 같은 수 없는 물건이 있다.

그런데 진열장에는 어린이용 인형이 하나 있었는데, 정말로 그것이 듀코브의 관심을 끌었다.

더 자세히 인형을 보려고 멈췄다.

지금까지 인형에 관심이 없었다.

자녀도 손자도 없다.

어린아이였을 때 어린이를 위한 장난감을 가지고 놀았다.

나무총, 어린이용 트럭, 어린이용 활, 더 정확히 말하면 장난감, 가끔 그것을 가지고 놀았다.

아버지는 진지하고 엄격하여 놀기를 원하지 않았다.

아주 어릴 때부터 벌써 읽도록 가르쳤고, 열심히 읽고 난 뒤에 아버지에게 내용을 말하라고 책을 사 주셨다.

그래서 어린 시절은 책을 읽으며 지나가, 좋아하는 장난감을 가졌는지 아닌지 기억나지 않는다.

지금 듀코브는 주의를 기울여 인형을 바라보았다.

대략 50cm 높이에 금발이고, 비단처럼 부드럽고 밝은 푸른색 눈, 빛나는 천으로 된 길고 파란 외투를 입었다.

인형의 매끈한 얼굴은 친절하게 보이고 빙긋 웃는 듯 듀코브에게 보였다.

부드러운 입술은 조금 열려 있어, 작은 진주 같은 이빨을 볼 수 있다.

인형의 오른쪽 팔에는 이름인 듯 '소냐'라고 쓰여 있는 이름표가 있다.

몇 분 동안 움직이지 않고 진열대 앞에 서 있으면서, 왜 그렇게 주의해서 인형을 살피고 있는지 설명할 수 없다.

비꼬듯이 '입을 딱 벌리고 있는 사람'이라고 자신을 이름 지었다.

이윽고 가려고 몸을 돌리다가 곧 다시 멈추었다.

마치 인형이 눈으로 윙크하는 듯했다.

듀코브는 살짝 웃었다.

'아마 해가 너무 세서 힘들거나 몸 상태가 좋지 않구나' 하고 생각했다.

인형을 쳐다보았다. 아니다. 불가능하다.

인형은 움직이지 않았다.

다시 가려고 하자 인형이 눈으로 윙크했다.

듀코브는 인형이 오른쪽 눈으로 윙크했고 그것은 전혀 의심할 여지가 없다.

듀코브는 생각에 빠졌다.

아마 인형에는 어떤 장치가 있어, 때때로 눈으로 윙크하는 듯했다.

호기심이 들어, 가게 안으로 들어가 더 자세히 인형을 살펴보리라고 마음먹었다.

문을 열고 선반에 여러 가지 물건이 있는 가게 안쪽으로 들어갔다.

마치 아무도 없는 듯했으나, 갑자기 어느 구석에서 친절하게 인사하는 늙은 사람이 나타났다.

"안녕하세요. 손님, 무엇을 원하나요?"

듀코브는 무엇을 원한다고 바로 말할 수 없어 그냥 물었다.

"진열장에 있는 인형을 볼 수 있을까요?"

"물론입니다." 대답하고 손쉽게 움직여 인형을 가지러 진열장으로 다가갔다.

그러면서 말했다.

"이 인형은 독특합니다.

전쟁 중 지난 세기 40년간 독일에서 만들었어요.

'파뇨'라고 발음을 내고, '소냐'라는 이름을 가졌어요."

노인은 팔 위에 있는 이름표를 보여주었다.

나중에 인형 쪽으로 조금 몸을 숙이자 인형이 '파뇨'라고 소리 냈다.

"인형이 눈으로 윙크합니까?" 듀코브가 물었다.

노인은 당황한 채 듀코브를 쳐다보았다.

무슨 말인지 이해하지 못했다.

"눈으로 윙크합니까?" 듀코브가 되풀이했다.

"아니요. 전혀 아닙니다." 상인이 대답했다.

"이것은 인형이지 사람이 아닙니다.

눈으로 윙크할 수 없어요."

"내가 밖에 있을 때 진열대 앞에서, 그것이 눈으로 윙크하는 것을 매우 잘 보았어요."

듀코브가 말했다.

놀라서 듀코브를 보더니 정말로 정신이 이상하다고 생각했다.

노인의 회색 작은 눈에는 두려움이 나타났다.

상인에게 자신이 정말 정상이라고 알리기 위해 듀코브는 '왜 인형이 혼자 진열장에 있냐'고 물었다.

"빨리 팔기를 원해서요." 노인이 대답했다.

"나는 아는 가족에게 꼭 판다고 약속해서 오직 그것만 진열장에 두었어요."

"얼마예요?" 듀코브가 물었다.

노인이 값을 말하자 듀코브는 자기도 모르게 바람 소리를 냈다.

"너무 비싸요? 예, 그것이 독특하다고 말했지요. 오래전부터 이미 그런 인형은 없었어요. 정말로 세계에서 오직 세 개나 네 개 비슷한 거 있어요."

"감사합니다. 매우 친절하군요. 안녕히 계세요."

듀코브는 말하고 빨리 가게를 나왔다.

집으로 돌아와 계획했던 대로 욕실로 들어가 매우 시원하게 몸을 씻었다.

그 뒤에 방에 앉아 가져온 신문을 펼쳤다.

해가 지기 시작하자 듀코브는 조금 산책을 하러 집을 나섰다.

가까운 공원에서 오래된 아까시나무의 그림자 아래 있는 의자에 앉았다.

듀코브는 혼자 산다. 가족도 없다. 젊어서 결혼하지 않았다. 나중에 후회했다. 조금씩 혼자 사는 데 익숙해졌다.

하루 일정은 정확하여 무엇도 자신을 흔들 수 없다.

공원에 있는 동안 인형을 잊었다.

저녁에 집으로 돌아와 조금 TV 뉴스를 보고 나서 잤다.

습관적으로 일찍 잔다.

이날 밤에 다시 눈으로 윙크하는 인형 꿈을 꾸었다.

듀코브는 깨어나 아침까지 다시 잠을 이룰 수 없었다.

하루 내내 인형에 대해 생각이 나서 다른 일을 할 수 없고 전혀 자유롭지 못했다.

3일 동안 밤마다 인형 꿈을 꾸었다.

4일째 가게에 가서 인형을 샀다.

회색 눈의 노인은 한없이 행복해서 인형을 싸면서 말하는 것을 멈추지 않았다.

"손님. 독특한 인형을 사셨어요. 준 돈이 헛되지 않을 겁니다. 손녀가 매우 좋아할 거예요."

듀코브는 인형을 들고 길에서 아는 사람을 만나면 비웃음을 받지 않으려고 집으로 서둘렀다.

집에서 TV 옆 옷장 위에 인형을 놓고 잊으려고 했다.

그러나 이 순간부터 삶이 바뀌었다.

집에 있을 때는 인형이 빙긋 웃고 눈으로 윙크했다.

그러나 가끔 집에 없다가 돌아오면 인형이 불친절하게 화난 듯이 쳐다본다.

첫날 듀코브는 그렇게 보인다고 생각했으나 다음에 틀리지 않았다고 확신했다.

인형이 말을 한다고까지 느껴졌다.

소리 없이, 단어도 없이 말한다.

하지만 듀코브는 모든 것을 알아들었다.

인형은 많은 어린 여자아이가 자기를 가져서 여러 가정에서 살았는데, 그중 일부는 매우 부자였다고 이야기했다.

"사람들은 좋기도 하지만 나빠요."

가장 재미있는 것은 어느 가족의 이야기인데, 어린 여자아이의 아빠가 죽었다.

엄마가 새로 결혼한 남자는 어린 여자아이를 좋아하지 않아서 가끔 뺨을 때렸다.

인형은 그 남자에게 좋은 교훈을 주기로 마음먹었다.

아빠가 어린 여자에게 뺨을 때릴 때 인형이 쳐다보자, 아빠의 오른팔이 움직이지 않고 늘어졌다.

일주일 내내 숟가락이나 포크도 들 수 없고 이유가 무엇인지 모르지만, 뺨 때리는 것을 더 못 했다.

듀코브는 인형이 풍부한 상상을 가졌는지 아니면 자신의 무의식이 이런 이야기를 생각해냈는지 궁금했다.

여러 날 동안 혼란스러워지면서 꿈꾸는지, 정신 이상한

지, 모든 것이 현실인지 알지 못했다.

한 번은 일주일 휴가를 받아 바다에 가기로 했다.

출발하려고 준비하는데 인형이 화가 나서 쳐다보았다.

그것을 알지 못하는 척했다.

일주일 만에 돌아오자 인형이 집에 없었다.

어떻게 사라졌는지 알지 못한다.

사는 집안 구석구석을 찾았다.

책상 아래, 침대 밑 어디에서도 찾을 수 없다.

이날부터 속을 태우게 되었다. 정말 가장 사랑하는 친구를 잃은 것이다.

SINJORO DUKOV KAJ LA PUPO

Ĉio komenciĝis en julia posttagmezo. Sinjoro Dukov rapidis hejmen. Li ŝvitis, lia kapo doloris kaj li planis reveninte hejmen, tuj senvestiĝi kaj eniri la benejon, kie la friska akvo freŝigos lin.

Li iris sur la strato, sed io igis lin halti kaj alrigardi la vitrinon de la vendejo, preter kiu li pasis. Estis malgranda vitrino de antikvaĵvendejo. Ordinare en la vitrinoj de aliaj antikvaĵvendejoj estis sennombraj aĵoj: malnovaj libroj, vazoj, pentraĵoj, muzikinstrumentoj, kandelingoj, sed en tiu ĉi vitrino staris nur unu infana pupo kaj verŝajne ĝi vekis la atenton de sinjoro Dukov. Li haltis por pli bone trarigardi la pupon. Ĝis nun li neniam interesiĝis pri pupoj. Li havis nek infanojn, nek nepojn.

Kiam li estis knabo, li ludis per ludiloj por knaboj: ligna pafilo, infana kamioneto, infana pafarko. Pli ĝuste li havis iajn ludilojn, sed malofte li ludis per ili. Lia patro, serioza, severa viro, ne permesis al li ludi. La patro instruis lin legi jam en la frua infaneco, aĉetis por li librojn, kiujn sinjoro Dukov devis diligente legi kaj poste rakonti al la patro la enhavon de la libroj. Tiel lia infaneco pasis en librolegado kaj li ne memoris ĉu li havis ŝatatan ludilon aŭ ne.

Nun sinjoro Dukov atente rigardis la pupon, kiu estis alta ĉirkaŭ kvindek centimetrojn kun blonda hararo, mola kiel silko, helverdaj okuloj kaj kun longa blua robo, kies ŝtofo iom brilis. La glata vizaĝo de la pupo eligis karecon kaj al sinjoro Dukov ŝajnis, ke la pupo ridetas. Ĝiaj teneraj lipoj estis iom malfermitaj kaj videblis la dentoj kiel etaj perloj. Sur la dekstra brako de la pupo estis etikedo kun surskribo "Sonja", verŝajne ĝia nomo.

Kelkajn minutojn sinjoro Dukov staris senmova antaŭ la vitrino kaj ne povis klarigi al si mem kial tiel atente li observas tiun ĉi pupon. Li eĉ ironie nomis sin gapulo. Fin-fine li turnis sin por ekiri, sed tuj denove haltis. Ŝajne la pupo okulsignis al li. Sinjoro Dukov ekridetis. "Eble mi suferis sunfrapon aŭ mi fartas malbone – meditis li." Tamen li alrigardis la pupon. Ne. Ne eblis. La pupo estis senmova. Li ekiris kaj la pupo denove okulsignis. Nun sinjoro Dukov tre bone vidis, ke ĝi okulsignis per sia dekstra okulo kaj tio tute ne estis dubinda. Sinjoro Dukov meditis. Plej verŝajne en la pupo estas iu meĥanismo per kiu de tempo al tempo ĝi okulsignas. Tio tiklis lian scivolon kaj li decidis eniri la vendejon kaj pli detale trarigardi la pupon. Li malfermis la pordon kaj enpaŝis en obskuran ejon, kie sur la bretoj videblis diversaj bagatelaĵoj. Kvazaŭ neniu estis ene, sed subite de iu angulo aperis malalta oldulo, kiu afable salutis lin:

-Bonan tagon, sinjoro. Kion vi bonvolos?

Dukov ne povis tuj diri kion li deziras kaj nur demandis:

-Ĉu eblas, ke mi vidu la pupon, kiu estas en la vitrino.

-Kompreneble – respondis la oldulo kaj facilmove proksimiĝis al la vitrino por preni la pupon.

-Tiu ĉi pupo – diris li – estas unika. Oni faris ĝin en Germanio, en la kvardekaj jaroj de la pasinta jarcento dum la milito. Ĝi prononcas "panjo" kaj havas nomon "Sonja" – kaj la oldulo montris la etikedon sur ĝia brako. Poste li iom klinis la pupon kaj ĝi sible prononcis "panjon".

-Ĉu la pupo okulsignas? – demandis Dukov.

La oldulo alrigardis lin embarasite.

-Kion vi diras – ne komprenis li.

-Ĉu ĝi okulsignas? – ripetis Dukov.

-Ne. Tute ne – respondis la vendisto. – Tio estas pupo, ne homo kaj ĝi ne povas okulsigni.

-Kiam mi estis ekstere, antaŭ la vitrino, mi tre bone vidis, ke ĝi okulsignas – diris Dukov.

La oldulo rigardis lin mirigite kaj verŝajne opiniis, ke Dukov estas mensmalsana. En la grizaj okuletoj de la oldulo aperis timo. Por montri al la vendisto, ke li estas tute normala, Dukov demandis lin kial nur la pupo estas en la vitrino.

-Mi devas rapide vendi ĝin – respondis la oldulo. – Mi promesis al konata familio nepre vendi ĝin kaj tial nur ĝi estas en la vitrino.

-Kiom ĝi kostas? – demandis Dukov.

La oldulo diris la prezon kaj Dukov nevole fajfis.

-Ĉu, tre multekosta?

-Ja, mi diris al vi, ke ĝi estas unika. Delonge jam ne estas tiaj pupoj. Verŝajne en la tuta mondo estas nur tri aŭ kvar similaj…

-Dankon. Vi tre afablis. Ĝis revido – diris Dukov kaj rapide eliris el la vendejo.

Li revenis hejmen kaj kiel li planis, tuj eniris la banejon kaj bone freŝigis sin. Poste li sidis en la ĉambro kaj trafoliumis la ĵurnalon, kiun li alportis. Kiam la suno komencis subiri, Dukov eliris el la domo por iom promenadi. En la proksima parko li sidis sur benko sub la ombro de malnova akacio.

Dukov loĝis sola. Li ne havis familion. Kiam li estis juna li ne edziĝis. Poste li bedaŭris, sed iom post iom alkutimiĝis al la soleco. Lia tagordo estis preciza kaj neniu maltrankviligis lin. Dum li estis en la parko, li forgesis la pupon. Vespere li revenis hejmen, spektis iom la televiziajn novaĵojn kaj poste ekdormis. Kutime li rapide ekdormiĝis. Tamen ĉi nokte li sonĝis la pupon, kiu denove okulsignis al li. Dukov vekiĝis kaj ĝis la mateno li ne povis ekdormi.

Tutan tagon li meditis pri la pupo, ne povis ion alian fari kaj tute ne eblis liberiĝi de ĝi. Tri noktojn li sonĝis ĝin. La kvaran tagon li iris en la vendejon kaj aĉetis la pupon. La oldulo kun la grizaj okuletoj estis senlime feliĉa kaj ne ĉesis paroli dum pakis la pupon.

-Sinjoro, vi aĉetis unikan pupon. La mono, kiun vi donis, ne estis vana. Via nepino ege, ege ĝojos.

Dukov prenis la pupon kaj rapidis hejmen por ke lin ne renkontu iu konato, kiu priridos lin. Hejme Dukov metis la pupon sur la komodo ĉe la televidilo kaj provis forgesi ĝin, sed de tiu ĉi momento lia vivo ŝanĝiĝis.

Kiam li estis hejme, la pupo ridetis kaj okulsignis al li, sed ofte li forestis kaj kiam li revenis la pupo rigardis lin malafable kaj kolere. En la unuaj tagoj Dukov opiniis, ke tiel ŝajnas al li, sed poste konvinkiĝis, ke li ne eraras. Li eĉ sentis, ke la pupo parolas al li. Ĝi parolis senvoĉe kaj sen vortoj, sed li komprenis ĉion. La pupo rakontis, ke ĝin posedis multaj knabinoj kaj ĝi loĝis en diversaj familioj, iuj el ili tre riĉaj. La homoj estis bonaj kaj malbonaj. La plej interesa estis la historio pri iu familio, en kiu la patro de la knabino mortis. La viro, al kiu edziniĝis la patrino, ne amis la knabinon kaj foje-foje vangofrapsi ŝin. La pupo decidis doni al li bonan lecionon. Foje, kiam la patro vangofrapis la knabinon, la pupo alrigardis lin kaj lia dekstra brako ekpendis senmova. Tutan semajnon li ne povis teni kaj la kuleron kaj la forkon kaj li ne komprenis kia estas la kialo, sed plu li ne vangofrapis la knabinon.

Dukov demandis sin ĉu la pupo havas riĉan fantazion aŭ li mem subkonscie elpensas tiujn ĉi historiojn. De tago al tago li iĝis pli embarasita kaj pli embarasita, kaj ne sciis ĉu li sonĝas, deliras aŭ ĉio estas reala.

Foje li decidis veturi al la maro por unu semajna ripozo. Kiam li prepars sin por la veturado, la pupo rigardis lin kolere. Li ŝajnigis, ke ne rimarkas ĝin.

Kiam post semajno li revenis, la pupo ne estis hejme. Dukov ne komprenis kiel ĝi malaperis. Li serĉis ĝin en la tuta loĝejo, sub la skribotablo, sub la lito, sed nenie trovis ĝin. De tiu ĉi tago li ĉagreniĝis. Ja, li perdis sian la plej karan amikon.

바이올리니스트

가을이다. 서늘한 황금빛 가을이다.
창문 앞의 오래된 밤나무 잎들이 눈물처럼 떨어진다.
방은 조용하다.
슬라바는 창가에 서서 떨어지는 밤나무 잎을 센다.
단지 며칠 전만 해도 잎들은 금빛에 빨갛고 갈색이었다.
지금 헐벗은 검은 가지는 하늘로 간절히 원하여 뻗은 팔과 같다.
나무는 슬라바처럼 슬프고 외롭다.
이미 오랫동안 슬라바는 혼자 살고 있다.
사랑했던 사람들은 하나둘 차례대로 죽었다.
그들은 나뭇잎처럼 차가운 바람에 의해 어딘가로 쫓겨 멀리 날아갔다.
오직 슬라바의 딸 엘카만 남았지만, 바다와 대양을 넘어 멀리 떨어져 살고 있다.
그러나 며칠 전부터 모든 것이 변했다.
엘카가 돌아왔다.
멀리서 마치 가을 나뭇잎처럼 날아왔다.
오늘 슬라바는 엘카가 집으로 오기를 기다린다.
갑자기 열쇠가 철컥 소리가 나며 방으로 엘카가 들어온다.
얼마나 예쁜지!
딸이 이미 성인이라는 것이 중요하지 않다.
언제나처럼 엘카는 빙긋 웃었다.

올리브 빛 검은 눈은 빛나고 검은 머리카락은 비록 여기 저기 은색 실처럼 흰 머리카락이 보이지만 아직 숱이 많다.

엘카가 말했다.

"엄마, 관현악 연주회 표를 샀어요. 음악을 매우 좋아하시지만, 오랫동안 연주회에 못 가신 것을 알아요."

"나는 걷기 힘들고 내 다리가 아프다는 것을 알지. 어떻게 연주회에 가겠니?"

슬라바는 알았다.

"그것은 걱정하지 마세요. 택시 타고 갈게요. 내가 옆에 있을게요. 이 작은 기쁨을 선물하고 싶어요."

"알았다." 슬라바는 말하며 행복에 겨워 얼굴이 빛났다.

관현악 연주회. 실로 수년 만에 관현악 연주회를 보고 연주를 들을 것이다.

기쁨이 슬라바를 들뜨게 하고 바다의 파도처럼 어루만진다. 정말로 다시 좋아하는 음악을 듣고, 다시 관현악의 매력 속에서 놀라운 화음에 깊이 잠길 것이다.

마음을 따뜻하게 하는 깊은 즐거움을 느낀다.

감정이 솟구친다.

'무엇을 입고 어떤 옷에 어떤 신발을 신을까?'

옷은 이미 오래전에 유행이 지났고 신은 낡았으나 누가 슬라바를 쳐다볼까?

슬라바는 마르고 창백한 얼굴에, 파란 구름 같은 눈을 가진 키가 작은 여자다.

연주회 장소는 사람이 가득하여 벌집처럼 웅성거린다.

모두가 시작을 기다리지만 가장 참을 수 없는 사람은 슬라바다.

떨면서 힘겹게 숨을 쉬고 난로 옆에 있는 것처럼 뜨거움을 느낀다.

연주회장의 시끄러운 소리가 조용해졌다.

무대 위로 지휘자가 나온다.

관객들에게 조금 숙여 인사한 뒤 관현악단 쪽으로 몸을 돌리고 음악이 남쪽의 바람처럼 날아간다.

슬라바의 눈에 눈물이 흐른다.

관현악이 차례대로 연주한다.

젊은 바이올리니스트가 연주를 시작한다.

바이올린이 잔잔한 바다의 조용한 파도 소리처럼 부드러운 음색을 보인다.

슬라바는 바이올리니스트를 쳐다보다가 그 남자를 아는 듯 생각했다.

'그러나 어디서, 언제?

불가능하다. 그 사람은 정말 젊었다.

어디서, 언제 그 남자를 보았을까?'

그는 꽤 재능이 있다.

갑자기 눈앞에 마치 보이지 않는 휘장이 열린 듯했다.

슬라바는 오래전부터 여러 해 동안 도시의 중앙로에 있는 음악 판매점에서 판매원이었다.

많은 사람이 음반을 사러 가게에 왔지만 사기 전에 듣기를 원했다.

가게에는 가끔 5, 6세 정도의 어린 남자아이가 왔다.

구석에 서서 1시간 정도 음반으로 음악을 들었다.

한 번은 슬라바가 물었다.

"네 이름이 뭐니?"

"바스코입니다." 어린아이가 대답했다.

"왜 가게에 오니? 아이들과 놀지 않고."

"음악 듣기를 좋아해요." 대답하고 곱슬머리를 숙였다.

"알았다, 엄마에게 이리로 오시라고 말씀드려라. 엄마와 이야기하고 싶구나."

그때 바스코는 큰 눈으로 슬라바를 쳐다보았다.

다음날 바스코 엄마가 가게에 왔다.

"아주머니" 슬라브가 말을 꺼냈다.

"아들이 음악을 매우 좋아해요.

반드시 음악과 관련된 일을 해야 해요."

바스코 엄마는 놀랐다.

"음악을 좋아한다는 것을 전혀 몰랐어요.

나와 남편은 음악을 좋아하지 않아요.

나는 바느질하고 남편은 운전사예요."

"아들은 반드시 음악을 배워야 해요." 슬라바가 말했다.

몇 년 뒤 바스코가 음악 학교에서 배운다는 것을 알았다.

지금 사람이 가득 찬 연주회장에서 슬라바 앞에서 무대 위에 서 바이올린을 연주한다.

슬라바는 작게 속삭였다.

"바스코야, 네가 유명한 바이올리니스트가 되도록 나 역시 한몫을 한 듯하구나."

LA VIOLONISTO

Aŭtuno. Friska ora aŭtuno. Antaŭ la fenestro la folioj de la olda kaŝtanarbo falas kiel larmoj. En la ĉambro estas silento. Slava staras ĉe la fenestro kaj nombras la falantajn foliojn de la kaŝtanarbo. Nur antaŭ kelkaj tagoj tiuj ĉi folioj estis oraj, ruĝaj, brunaj. Nun la nudaj nigraj arbobranĉoj similas al brakoj, etenditaj pete al la ĉielo. La arbo estas trista kaj soleca kiel ŝi. Jam multajn jarojn Slava loĝas sola. La homoj, kiujn ŝi amis forpasis unu post la alia. Ili, kiel la arbofolioj, forflugis ien, pelitaj de frosta vento. Restis nur Elka, la filino de Slava, sed ŝi loĝas malproksime, trans maroj kaj oceanoj.

De kelkaj tagoj tamen ĉio ŝanĝiĝis. Elka revenis. Ŝi kvazaŭ alflugis de malproksime kiel aŭtuna folio. Hodiaŭ Slava atendas ŝin veni en la domon.

Jen, subite ekkrakas ŝlosilo kaj en la ĉambron eniras Elka. Kiom bela ŝi estas. Ne gravas, ke ŝia filo jam plenaĝas. Elka ridetas kiel ĉiam, ŝiaj nigroolivaj okuloj brilas kaj ŝia hararo ankoraŭ estas densa, malgraŭ ke ie-tie videblas blankaj haroj kiel arĝentaj fadenoj.

Elka diras:

-Panjo, mi aĉetis biletojn por simfonia koncerto. Mi scias, ke vi tre ŝatas la muzikon, sed delonge vi ne estis ĉe koncerto.

-Vi scias, ke mi malfacile paŝas, miaj piedoj doloras, kiel mi iros al la koncerto? – rimarkas Slava.

-Ne zorgu pri tio. Ni iros per taksio. Mi estos ĉe vi. Mi deziras donaci al vi tiun ĉi etan ĝojon.

-Bone – diras Slava kaj feliĉo lumigas ŝian vizaĝon.

Simfonia koncerto. Post tiom da jaroj ŝi spektos kaj aŭskultos simfonian koncerton. La ĝojo levas Slavan supren, lulas ŝin kiel mara ondo. Jes, ŝi denove aŭskultos la ŝatatan muzikon kaj denove dronos en mirinda harmonio, en la raveco de la simfonioj. Slava sentas profundan plezuron, kiu varmigas ŝian koron. Ŝia emocio kreskas. Kion ŝi surhavu, kian robon, kiajn ŝuojn? Ŝiaj roboj jam delonge estas malmodaj, la ŝuoj – malnovaj, tamen, kiu rigardus ŝin. Ja, Slava estas maldika, malalta virino kun pala vazaĝo kaj kun okuloj kiel blueca nebulo.

La koncerta halo plen-plenas kaj zumas kiel abelujo. Ĉiuj atendas la komencon, sed la plej malpacienca estas Slava. Ŝi tremas, peze spiras kaj sentas varmon kvazaŭ ŝi estas en forno.

La bruo en la halo silentiĝas. Sur la scenejon venas la orkestrestro. Li iom klinas sin antaŭ la publiko, poste li turnas sin al la muzikantoj kaj la muziko ekflugas kiel suda vento. En la okuloj de Slavas aperas larmoj. La simfonioj sekvas unu post la alia.

Juna violonisto komencas ludi. La violono eligas tenerajn tonojn kiel karesan maran lirlon. Slava rigardas la violoniston kaj ŝajnas al ŝi, ke ŝi konas lin, sed de kie kaj de kiam? Ne eblas. Li estas tre juna. Kie kaj kiam Slava vidis lin? Li estas tre talenta.

Subite kvazaŭ nevidebla kurteno malfermiĝas antaŭ ŝiaj okuloj. Delonge, antaŭ jaroj, Slava estis vendistino en muzikvendejo, kiu troviĝis sur la ĉefstrato de la urbo. Multaj homoj venis en la vendejon por aĉeti muzikdiskojn, sed antaŭaĉeti diskon la aĉetantoj deziris aŭskulti ĝin.

En la vendejon ofte venis kvin-sesjara knabo. Li staris en la angulo kaj dum horo aŭskultis la muzikon de la diskoj. Foje Slava demandis lin:

-Kio estas via nomo?

-Vasko – respondis la knabo.

-Kial vi venas en la vendejon kaj ne ludas kun la infanoj?

-Mi deziras aŭskulti la muzikon – respondis li kaj klinis sian krispharan kapon.

-Bone, diru al via patrino veni ĉi tien. Mi deziras paroli kun ŝi.

Tiam Vasko alrigardis Slavan per siaj grandaj okuloj.

La sekvan tagon la patrino de Vasko venis en la

vendejon.

-Sinjorino, - komencis Slava – via filo tre ŝatas muzikon. Li nepre devas okupiĝi pri muziko.

La patrino de Vasko surpriziĝis.

-Mi tute ne supozis, ke li ŝatas muzikon. Mi kaj mia edzo ne estas muzikŝatantoj. Mi estas kudristino kaj mia edzo – ŝoforo.

-Via filo nepre devas lerni muzikon – diris Slava.

Post jaroj Slava eksciis, ke Vasko jam lernas en muziklernejo. Nun li staris sur la scenejo antaŭ ŝi en la plen-plena halo kaj violonludis. Slava mallaŭte ekflustris: "Vasko, verŝajne ankaŭ mi helpis, ke vi fariĝu fama violonisto."

큰불

밀코 아저씨는 작은 길 '시링고' 윗쪽 마을 변두리에 살
았다. 70살에 키가 크고 산의 호수처럼 파란 눈을 가지
고 활기차다.

아침부터 저녁까지 집 마당에서 일했다.

풀을 베고 과일나무 가지를 치고 채소에 물을 준다.

밀코 아저씨 집 옆에는 형 디코의 집이 있다.

그러나 형 부부는 5년 전 돌아가시고 지금 집에는 아무
도 살지 않는다.

그래서 집과 마당은 사막 같다.

어느 일요일 아침, 밀코 아저씨는 형 집 마당에서 남자
를 보았다.

'누구지?' 밀코 아저씨가 혼잣말했다.

이웃 마당에서 헤매는 남자가 누구인지 보려고 곧 나갔다.

밀코 아저씨는 마당으로 들어갔다.

모르는 남자는 집 앞 계단에 서 있다.

밀코 아저씨는 가까이 갈 때. 남자가 조카, 형의 아들이
라는 것을 확신했다.

"에프팀이니?" 밀코 아저씨는 기뻤다.

"너를 잘 보지 못해 도둑이 마당에 들어왔다고 생각했구나."

"저예요. 작은아버지." 에프팀이 말했다.

"어떻게 지내니? 오랜만에 여기 왔구나. 네 부모님 돌아
가신 지 5년이 지났구나."

"예. 여기에 빌라를 지으려고 마음을 먹고 집과 마당을 둘러보려고 왔어요."

에프팀은 40살로 키 크고 힘이 세고 밀코 아저씨처럼 파란 눈을 가졌다.

지금 청바지와 푸른 스포츠 잠바를 입었다.

"매우 잘 되었구나. 사랑하는 조카야. 이곳은 네 부모의 집이니 네가 잘 관리해야 해."

밀코 아저씨가 말했다.

아저씨와 조카는 조금 이야기를 나누고 에프팀은 갔다.

밀코 아저씨는 에프팀이 여기에 빌라를 짓는다고 해서 기뻤다.

"나는 이웃에 조카를 둘 거야."

밀코 아저씨가 말했다.

"여기에 가족과 함께 올 것이고 가끔 우리는 같이 있을 거야."

밀코 아저씨는 조카에 대해 자랑스러웠다.

에프팀은 대도시에 살고 유명하고 부자며 큰 철공장 관리자다. 텔레비전에서 인터뷰도 가끔 한다. 중요한 상품의 수입과 수출에 관해 말했다.

한 달 뒤 에프팀은 빌라를 짓기 시작했다.

처음에 오래된 부모의 집을 철거하며 큰 공사를 했다.

불도저, 건축재료를 나르는 큰 트럭, 많은 일꾼이 있다.

공사는 이 년이 걸렸다.

어느 날 에프팀은 밀코 아저씨에게 와서 말했다.

"작은아버지, 빌라건축 계획에 들어있어 마당 일부를 가져야 합니다."

그것은 전혀 밀코 아저씨 마음에 들지 않았지만 동의했다. 정말 에프팀은 조카이고 서로 싸우기를 원치 않았다. 그렇게 에프팀은 마당을 더 넓혔다.

마침내 빌라가 다 지어졌다.

커다란 빌라, 주차장, 정자, 마당에 큰 풀장, 꽃 정원, 과일나무가 있는 3층짜리다.

그렇게 화려한 빌라를 밀코 아저씨는 보지 못했다.

그러나 에프팀은 밀코 아저씨의 마당에서뿐 아니라 '시링고'길에서도 똑같이 땅을 일부 가져갔다.

그것이 밀코 아저씨를 매우 화나게 했다.

"에프팀, 왜 그렇게 했니?" 밀코가 말했다.

"왜 길에서 땅을 가져가 마당을 넓혔니?"

"빌라의 오래된 계획이 거기까지입니다."

그리고 에프팀은 길을 보여주었다.

"아버지가 정한 구획이고 지금 제가 다시 찾은 겁니다. 그 외에도 제 빌라는 길의 마지막입니다."

"그러나 길은 숲으로 이어져 있어." 밀코 아저씨가 설명했다.

"중요하지 않습니다." 에프팀이 대답했다.

"숲으로 가려면 집 뒤에 있는 다른 길로 가야 합니다."

밀코 아저씨는 오로지 말없이 에프팀을 보고 혼자 말했다.

'사람의 마음은 욕심이 가득하여 만족할 수 없다. 가능하

다면 전 세계를 정복할 것이다.'

에프팀은 커다란 철 울타리를 만들어 길의 절반을 막았다.

올해 여름에는 비가 없었다.

두 달 7월, 8월에 비가 오지 않았다.

모든 것이 말랐다.

정원에 물을 주었지만, 채소는 시들었다.

어느 밤 소음과 외침 때문에 밀코 아저씨는 잠에서 깼다.

침대에서 벌떡 일어나 창을 쳐다보았다.

에프팀의 빌라에서 100m 떨어져 있는 숲이 불에 탔다.

처음 큰불을 본 이웃 사람이 불을 끄려고 했지만 성공하지 못했다.

누가 소방서에 전화했고 얼마 뒤 소방차가 왔다.

그러나 에프팀의 울타리가 길을 막아 숲으로 갈 수 없었다.

소방차는 돌아가느라 시간을 놓쳤다.

그러나 불은 기다려 주지 않았다.

커다란 혀처럼 불꽃은 빠르게 다가왔다.

에프팀의 울타리에 도착하고 마당으로 들어와 마른 풀이 금세 탔다. 불꽃은 빌라를 태웠다.

다행히 안에는 아무도 없었다.

소방대원도 불을 끄는 데 성공하지 못했다.

빌라는 아무것도 남지 않고 오직 몇 개의 벽만 남았다.

밀코 아저씨는 불을 쳐다보며 조용히 속삭였다.

"에프팀, 내가 길을 막지 말라고 말했지.

그러나 너는 내 충고를 듣고 싶지 않았지."

LA INCENDIO

Oĉjo Milko loĝis je la rando de la vilaĝo sur la malgranda strato "Siringo". Ĉirkaŭ sepdekjara li estis alta, vigla kun bluaj okuloj kiel montaj lagoj. De matene ĝis vespere li laboris en la korto de la domo: falĉis la herbon, ĉirkaŭtranĉis la branĉojn de la fruktarboj, akvumis la legomojn. Ĉe la domo de oĉjo Milko estis la domo de lia frato Dinko, sed li kaj lia edzino forpasis antaŭ kvin jaroj kaj nun en la domo loĝis neniu, tial kaj la domo, kaj la korto similis al dezerto.

Iun dimanĉon matene oĉjo Milko rimarkis viron en la korto de la frata domo. Kiu li estas – demandis sin oĉjo Milko kaj tuj iris vidi kiu estas la viro, kiu vagas en la najbara korto. Oĉjo Milko eniris la korton. La nekonata viro staris sur la ŝtuparo antaŭ la domo kaj kiam oĉjo Milko proksimiĝis, li konstatis, ke la viro estas lia nevo, la filo de lia frato.

-Eftim, ĉu vi estas? – ekĝojis oĉjo Milko. – Mi ne bone vidis vin kaj mi opiniis, ke ŝtelisto eniris la korton.

-Mi estas, oĉjo, - diris Eftim.

-Kiel vi fartas? Delonge vi ne venis ĉi tien. Pasis kvin jaroj post la morto de viaj gepatroj.

-Jes. Mi decidis konstrui ĉi tie vilaon kaj mi venis trarigardi la domon kaj la korton.

Eftim estis kvardekjara, alta, forta bluokula kiel oĉjo Milko. Nun li surhavis ĝinzon kaj verdan sportan jakon.

-Tre bone, kara nevo. Tio estas via gepatra domo kaj vi devas zorgi pri ĝi – diris oĉjo Milko.

La onklo kaj la nevo iom babilis kaj Eftim foriris. Ĝoja estis oĉjo Milko, ke Eftim konstruos ĉi tie vilaon. "Mi havos najbaron, mian nevon – diris oĉjo Milko. - Li venos ĉi tien kun sia familio kaj ofte ni estos kune. "

Oĉjo Milko fieris pri sia nevo. Eftim loĝis en la ĉefurbo, estis fama, riĉa, direktoro de granda uzino. Oni ofte intervjuis lin en la televido. Li parolis pri enporto kaj eksporto de gravaj varoj.

Post monato Eftim komencis konstrui la vilaon. Unue li ruinigis la malnovan gepatran domon kaj entreprenis grandan laboron. Estis surraŭpaj buldozoj, kamionoj, kiuj alportis la konstrumaterialojn, multaj laboristoj...

La konstruado daŭris du jarojn. Iun tagon Eftim venis al oĉjo Milko kaj diris:

-Oĉjo, mi devas preni parton el via korto, ĉar tia estas la konstruplano de la vilao.

Tio tute ne plaĉis al oĉjo Milko, sed li konsentis. Ja, Eftim estas lia nevo kaj oĉjo Milko ne deziris kvereli kun li. Tiel Eftim plivastigis sian korton. Fin-fine la vilao estis preta. Belega vilao – trietaĝa kun garaĝo, kun kiosko kaj granda baseno en la korto, kun florĝardeno kaj fruktaj arboj. Tian luksan vilaon ĝis nun oĉjo Milko ne vidis. Tamen Eftim prenis spacon ne nur el la korto de oĉjo Milko, sed same el la strato "Siringo" kaj tio jam serioze maltrankviligis oĉjon Milko.

-Kion vi faras, Eftim? – diris oĉjo Milko. – Kial vi vastigas vian korton per spaco el la strato?

-Laŭ malnova plano de la vilaĝo ĝis tie – kaj Eftim montris la straton – estis la parcelo de mia patro kaj nun mi restarigas ĝin. Krom tio mia vilao estas la lasta sur la strato.

-Tamen la strato gvidas al la arbaro – klarigis oĉjo Milko.

-Ne gravas - respondis Eftim. – Se oni iros al la arbaro, oni iru sur la alian straton, kiu estas malantaŭ la domoj.

Oĉjo Milko nur silente rigardis Eftim kaj diris al si mem: "Avida kaj nesatigebla estas la homa naturo. Se eblas, oni konkeros la tutan mondon."

Eftim faris grandan feran barilon kaj baris la duonstraton.

Ĉijare la somero estis senpluva. Du monatojn, julion kaj aŭguston ne pluvis. Ĉio sekiĝis. Oni vane akvumis la ĝardenojn, sed la legomoj forvelkis. Iun nokton bruo kaj krioj vekis oĉjon Milko. Li saltis de la lito kaj rigardis tra la fenestro. La arbaro, kiu estis je cent metroj de la vilao de Eftim brulis. La najbaroj, kiuj unuaj vidis la incendion, provis estingi la fajron, sed ne sukcesis. Iu telefonis al fajrobrigado kaj postnelonge venis la fajrobrigadaj aŭtoj, sed ili ne povis iri al la arbaro, ĉar la barilo de Eftim baris la straton. La fajrobrigadaj aŭtoj devis ĉirkaŭiri kaj perdis tempon. Tamen la fajro ne atendis. La flamoj kiel grandegaj langoj rapide proksimiĝis. Ili atingis la barilon de Eftim, eniris la korton kaj la seka herbo tuj bruliĝis. La fajro bruligis la vilaon. Bone, ke neniu estis en ĝi. La fajrobrigadistoj ne sukcesis estingi la fajron. Nenio restis el la vilao, nur kelkaj muroj. Oĉjo Eftim rigardis la fajron kaj silente flustris: "Eftim, Eftim, mi diris al vi ne baru la straton, sed vi ne ne deziris aŭdi mian konsilon."

부러움

막달레나는 활기차고 노련해서 모든 어려운 문제를 푸는 능력이 있다.

남편은 없고 오직 아들만 돌보고 이미 늙은 부모님을 돕는다.

아이용 장난감 공장에서 일하는데 모두 막달레나를 존경한다.

경험이 많은 일꾼이며 재빠르게 움직이고 함께 일하는 여자들을 도와준다.

공장에서 가장 나이든 키나 아주머니는 가끔 말한다.

"막달레나야, 너는 정말 예쁘구나.

아름답고 경험도 많고 능숙하고 항상 사랑스럽게 웃고.

왜 다시 결혼하지 않니?

정말로 너를 도와줄 남편이 있어야 해."

"언젠가 하겠지요. 키나 아줌마." 막달레나가 대답했다.

"그러나 일 때문에 남편을 찾을 시간이 없어요."

하지만 어느 날 아이용 장난감 공장이 문을 닫아서 막달레나는 더는 일 하지 못했다.

막달레나 부모님은 정말로 걱정이 되었다.

막달레나 엄마가 말했다.

"지금 어떻게 사니? 너는 이제는 일하지 않고 우리 연금은 적어 너를 도와줄 수 없구나."

"엄마, 걱정하지 마세요.

저는 항상 문제를 푸는 데 성공했어요.

똑같이 지금 이겨 낼 거예요.

일거리를 찾으면 반드시 있을 거예요."

그리고 막달레나는 빨리 문제를 해결했다.

거주지역에 작은 식품 판매장이 있는데, 막달레나는 그 것을 빌려 빵, 치즈, 소시지, 절인 물건을 파는 판매점을 운영하게 되었다.

가게에 오는 사람들을 친절하게 웃으며 만나고 잘 대해 서 많은 사람이 막달레나 가게에서 사기를 좋아했다.

이번 겨울은 추웠다.

큰 눈이 내려 거리는 미끄러웠다.

북쪽 바람이 늑대처럼 소리를 냈다.

거주지역에는 추운 날에 어딘가 피난처를 찾으려는 몇 명의 노숙자가 있다.

그들은 길 위를 헤매다가 찻집이나 술집에 들어갔다.

가끔 인도 위에 서서 구걸을 했다.

어쩌다 그들 중 누구는 막달레나 가게에 들어와 누더기 에서 빵을 사기 위해 약간의 동전을 꺼냈다.

그것 때문에 막달레나는 속이 상했다.

가끔 돈을 받지 않고 노숙자에게 빵을 주었다.

사람들은 놀라서 '왜 돈을 받지 않고 빵을 주느냐'고 물 었다.

그러나 막달레나는 습관적으로 대답했다.

"정말로 나는 더 가난해지지 않을 거예요."

가끔 막달레나는 노숙자를 도우려고 마음먹었다.

가게 진열장 위에 커다란 종이판을 놓았다.

'노숙자들을 위해 빵은 공짜'

많은 사람이 이 종이판에 대해 알고 도시의 다른 지역 노숙자들도 오기 시작했다.

그러나 마치 종이판이 기적의 힘을 가진 듯 막달레나 가게 손님도 많아졌다.

막달레나를 부러워하기 시작한 이웃 가게 주인들은 이 사실을 알아차렸다.

어느 날 아침 나쁜 소식이 지역에 퍼졌다.

저녁에 막달레나 가게에 불이 났다.

이것은 막달레나 부모를 매우 괴롭게 했다.

엄마는 우셨다.

"막달레나, 지금 무엇을 할까?

불태운 것은 가게가 아니라 너 자신이다."

그러나 막달레나는 엄마를 쳐다보며 단순하게 말했다.

"엄마, 울지 마세요. 나는 많은 사람을 도왔어요.

분명 나를 도와줄 누군가가 있을 거예요.

하나님은 좋은 분입니다."

ENVIO

Magdalena estis energia, lerta kaj kapablis solvi ĉiujn malfacilajn problemojn. ne Ŝi ne havis edzon, mem zorgis pri sia filo kaj helpis siajn gepatrojn, kiuj jam estis maljunaj. En la fabriko por infanaj ludiloj, kie Magdalena laboris, ĉiuj estimis ŝin. Ja, ŝi estis sperta laboristino, agis rapide kaj helpis la virinojn, kun kiuj ŝi laboris. Onklino Kina, la plej aĝa virino en la fabriko, ofte diris al Magdalena:

-Magdalena, tre bela vi estas, bela, sperta kaj lerta, ĉiam vi kare ridetas, kial vi ne edziniĝos denove? Ja, vi devas havi edzon, kiu helpu vin.

-Tio certe okazos, onjo Kina – respondis Magdalena – sed pro la laboro mi ne havas tempon serĉi edzon.

Tamen la fabriko por infanaj ludiloj ĉesis funkcii kaj Magdalena ne plu laboris. Ŝiaj gepatroj serioze maltrankviliĝis.

-Magdalena – diris ŝia patrino. – Kiel ni vivos nun. Vi ne plu laboras, niaj pensioj estas malaltaj kaj ni ne povas helpi vin.

-Panjo, ne maltrankviliĝu. Mi ĉiam sukcesis solvi la problemojn kaj same nun mi sukcesos. Se oni deziras labori, oni nepre trovos laboron.

Kaj Magdalena rapide solvis la problemon. En la

loĝkvartalo estis malgranda nutraĵvendejo, Magdalena luis ĝin kaj ŝi mem iĝis vendistino en la vendejo, kie oni povis aĉeti panon, fromaĝon, kolbasojn, konservitajn nutraĵojn… La homojn, kiuj venis en la vendejon, ŝi renkontis afable, ridete, ŝi estis kara kaj multaj ŝatis aĉetadi en ŝia vendejo.

Tiu ĉi vintro estis frosta. Falis granda neĝo, la stratoj glaciiĝis. La norda vento hurlis kiel malsata lupo. En la loĝkvartalo estis kelkaj senhejmuloj, kiuj provis ie trovi azilon dum la frostaj tagoj. Ili vagis sur la stratoj, eniris en kafejojn, drinkejojn. Ofte ili staris sur la trotuaroj kaj almozpetis. Foje-foje iu el ili eniris la vendejon de Magdalena kaj elprenis el sia ĉifona vesto kelkajn monerojn por aĉeti panon. Tio ĉagrenigis Magdalenan. Ofte ŝi donis panon al iu senhejmulo sen preni de li monon. La homoj miris kaj demandis ŝin kial ŝi donas panon senpage, sed Magdalena kutimis respondi:

-Ja, mi ne iĝos pli malriĉa.

Foje Magdalena decidis helpi la senhejmulojn kaj sur la vitrino de la vendejo ŝi metis grandan surskribon:

"Por la senhejmuloj la pano estas senpaga."

Multaj eksciis pri tiu ĉi surskribo kaj en la vendejon de Magdalena komencis veni senhejmuloj el aliaj loĝkvartaloj de la urbo. Tamen ankaŭ la aĉetantoj en la vendejo de Magdalena plimultiĝis, kvazaŭ la surskribo havis miraklan forton.

Tion rimarkis la posedantoj de la najbaraj vendejoj, kiuj komencis envii al Magdalena.

Iun matenon malbona novaĵo disvastiĝis en la loĝkvartalo: "Dum la nokto oni bruligis la vendejon de Magdalena. "

Tio profunde ĉagrenigis la gepatrojn de Magdalena. Ŝia patrino ekploris:

-Magdalena, kion vi faros nun! Oni bruligis ne la vendejon, sed vin mem!

Tamen Magdalena alrigardis la patrinon kaj nur diris:

-Panjo, ne ploru. Mi helpis al multaj homoj kaj certe estos iu, kiu helpos min. Dio estas bona.

가장 아름다운 추억

거주지는 작다.

몇 개의 길, 마당 가진 건물, 마당에는 겨울에 부드러운 눈으로 하얀 모자를 쓴 꽃과 과일나무들이 있다.

아침부터 저녁까지 거리에서 아이들을 볼 수 있다.

그들은 놀고 달리고 소리쳤다.

가끔 밀라는 어린 시절, 멀리 지나간, 먼 걱정 없던 날들을 기억했다.

그 이후 많은 세월이 흘렀다.

지금 거주지는 마치 사람이 없는 듯 조용하고, 그 당시 아이들은 이미 성인이 되어 결혼하고 가을의 거머리처럼 어딘가로 사라졌다.

그러나 밀라는 그때 어린이 놀이를 잊을 수 없다.

저녁에 아이들은 밀라 집 앞에서 습관적으로 모여 무서운 믿을 수 없는 이야기들을 서로 했다.

그러나 즐겁고 웃길 만한 일을 더 자주 했다.

한 번은 이웃집에 사는 자하리라는 남자아이가 가장 기쁜 일을 모두 이야기하자고 제안했다.

자하리는 나보다 나이가 조금 더 많고 다른 남자아이와 같지 않았다.

놀이를 매우 좋아하지 않고 훨씬 많이 책을 읽고, 읽은 것을 이야기해서, 아이들은 그것을 주의하여 조용히 들었다.

밀라는 이미 다른 아이들이 말한 것을 기억하지 못한다. 그러나 자하리가 무엇이 가장 기뻤냐고 물었을 때 어느 성탄절 잔치에서 2학년 학생일 때 아파서 집에 머물러야 해서 아이들과 함께 놀 수 없었다고 이야기하기 시작했다.

슬퍼서 아침에 성탄절 앞날 일어나서 창을 쳐다보다가 마당의 전나무가 성탄 장식품으로 꾸며진 것을 보았다.

많은 색깔의 작은 전구들이 푸른 가지 위해서 불을 밝혔다. 그것이 매우 놀랍고 기뻤다.

전나무는 빛나는 별과 같고 눈으로 덮인 모든 마당은 기적의 동화처럼 있다.

나중에 엄마가 밤에 몰래 전나무를 꾸민 것을 알았다.

이 어렸을 때의 기억을 결코 잊을 수 없다.

지금조차 더 키가 크고, 더 커지고, 더 푸르른 전나무가 있는 마당을 가끔 쳐다본다.

오래전부터 밀라의 자녀들은 멀리서 떨어져 큰 도시에 산다. 이웃인 자하리는 수도에서 학업을 마치고 기술자가 되었고, 여동생이 그렇게 자주 오지 않는다.

정말 세월이 빠르게 흘렀다고 밀라는 생각했다.

곧 다시 성탄절이 올 것이고 다시 밀라는 어릴 때 그때처럼 같은 감정을 느낄 것이다.

지금 손자들을 위한 선물을 사러, 성탄절 음식을 준비하러 서둘렀다.

왜냐하면, 자녀들과 손자들이 찾아올 것이고 그들을 기쁘게 해야 하기 때문이다.

성탄절 밤에 밀라의 집은 사람들로 가득하다.

어린이의 웃음이 메아리치고 눈에는 기쁨이 빛난다.

정말 아름다운 잔치다.

아침에 밀라는 식사를 준비하러 일찍 일어났다.

커피와 차를 타고 평평한 과자를 만들고 뜻밖에 창을 내다보았다.

기적이다.

마당에 있는 전나무가 다시 꾸며져 있다.

성탄절 장식품이 가지 위해서 빛나고 있다.

다시 아주 오래전처럼 같은 기쁨이 밀라 가슴을 가득 차게 만들었다.

몇 분간 움직이지 않고 서서 오직 속삭였다.

'자하리구나.'

정말 자하리가 그것을 만들었다.

자하리는 정말 여동생 가족과 함께 성탄절을 축하하러 와서 밀라를 놀라게 하고 기쁘게 하리라 마음먹었다.

오전에 누가 문 앞에서 소리를 냈다.

밀라는 문을 열고 웃는 얼굴, 수년 전에는 검었던 흰 머리카락의 자하리를 보았다.

"즐거운 성탄절이야." 자하리가 인사했다.

"즐거운 성탄절이야."

밀라는 대답하고 집안으로 초대했다.

LA PLEJ BELA REMEMORO

La loĝkvartalo estis malgranda. Kelkaj stratoj, domoj kun kortoj kaj en la kortoj floroj kaj fruktarboj, kiuj vintre havis blankajn ĉapelojn el mola neĝo. De matene ĝis vespere sur la stratoj videblis infanoj. Ili ludis, kuris, kriis.

Foje-foje Mila rememoris sian infanecon, la forpasintajn malproksimajn senzorgajn tagojn. De tiam pasis multaj jaroj. Nun la loĝkvartalo estas silenta, kvazaŭ senhoma. La tiamaj geinfanoj, jam plenkreskuloj, geedziĝis kaj malaperis ie kiel la hirundoj aŭtune. Mila tamen ne povas forgesi la tiamajn infanludojn. Vespere la geinfanoj kutimis kolektiĝi antaŭ la domo de Mila kaj rakontis unu al alia nekredeblajn historiojn, timigajn, sed pli ofte gajajn kaj ridindajn.

Foje Zahari, la knabo, kiu loĝis en najbara domo, proponis, ke ĉiu infano rakontu kio plej ĝojigis lin aŭ ŝin. Zahari estis pli aĝa ol Mila kaj ne similis al aliaj knaboj. Li ne tre ŝatis la ludojn, pli multe legis librojn, rakontis kion li legis kaj la infanoj aŭskultis lin atente kaj silente. Mila jam ne memoris kion rakontis la aliaj infanoj, sed kiam Zahari demandis ŝin kio plej ĝojigis ŝin, Mila tuj komencis rakonti, ke dum iu Kristnaska festo, kiam ŝi estis lernantino en dua klaso, ŝi malsaniĝis, devis esti hejme kaj ne povis ludi kun la infanoj. Ŝi tristis, sed matene, antaŭ la Kristnasko, kiam ŝi vekiĝis kaj rigardis tra la fenestro, ŝi vidis, ke la abio en la korto de la domo estis ornamita per Kristnaskaj ornamaĵoj. Multaj koloraj lampetoj lumis sur la verdaj branĉoj. Tio ege surprizis kaj ĝojigis Milan. La abio similis al brilanta stelo kaj la tuta korto, neĝkovrita, estis kiel mirakla fabelo. Poste Mila eksciis, ke ŝia patro nokte kaŝe ornamis la abion.

Tiun ĉi infanan rememoron Mila neniam forgesis. Eĉ nun ŝi ofte rigardis la korton kun la abio, kiu jam estas pli alta, pli granda kaj pli verda.

Delonge la gefiloj de Mila loĝis malproksime de ŝi, en granda urbo. Zahari, la najbaro, finstudis en la ĉefurbo, iĝis inĝeniero kaj ne tre ofte venis ĉi tien, kie loĝas lia fratino. Ja, rapide pasis la jaroj, meditis Mila. Jen, baldaŭ denove estos Kristnasko kaj denove Mila sentos la saman emocion kiel iam, kiam ŝi estis infano. Nun ŝi rapidis aĉeti donacojn por la genepoj, pretigi la Kristnaskajn manĝaĵojn, ĉar venos al ŝi la gefiloj, la genepoj kaj Mila devis ĝojigi ilin.

Dum Kristnaska vespero la domo de Mila plen-plenis da homoj. Eĥis infanaj ridoj, ĝojo brilis en la okuloj. Estis belega festo.

Matene Mila frue vekiĝis por pretigi la matenmanĝon. Ŝi kuiris kafon, teon, faris platkukon kaj nevole ŝi ekrigardis tra la fenestro. Miraklo! En la korto la abio estis denove ornamita. Kristnaskaj ornamaĵoj brilis sur ĝiaj branĉoj. Denove la sama ĝojo kiel antaŭ multaj jaroj, obsedis Milan. Kelkajn minutojn ŝi staris senmova kaj nur ekflustris: "Zahari". Ja, tion faris Zahari. Li certre venis festi Kristnaskon kun la familio de sia fratino kaj decidis surprizi kaj ĝojigi Milan.

Antaŭtagmeze ĉe la pordo iu sonoris. Mila malfermis kaj vidis Zaharin, lian ridantan vizaĝon kaj arĝentkoloran hararon, kiu iam, antaŭ jaroj, estis nigra.

-Agrablajn Kristnaskajn Festojn – salutis li.

-Agrablajn Kristnaskajn Festojn – respondis Mila kaj invitis lin hejmen.

새 학교

찻길은 은색 리본을 닮아 곧고 미끄럽다.

양옆에는 푸른 들판이고 여기저기에 하얀 옷을 입은 약혼녀처럼 꽃이 핀 나무들을 볼 수 있다.

볼 수 없는 기적의 새처럼 봄은 넓은 날개를 뻗고 자연은 새로운 삶을 위해 깨어난다.

해가 나는 4월의 아침에 카로얀은 부르고라는 도시로 천천히 운전해서 갔다.

10킬로 뒤에 차로(車路) 공사를 하니 자동차는 다른 길로 방향을 바꾸라고 큰 간판에 쓰여 있다. 카로얀은 간판에 표시된길에 따라 자동차 방향을 바꾸었고, 다른 간판은 황금 계곡이라는 이름의 마을로 가까이 간다고 알렸다.

'결코, 이 마을에 간 적이 없다.'

멈춰서 둘러보고 커피를 마시리라 마음먹었다.

카로얀은 읍사무소, 도서관, 학교 건물이 있는 큰 마을 광장에 주차했다.

읍사무소와 도서관은 오래되었지만, 학교는 전혀 새롭고 큰 창이 있고 아름다웠다.

카로얀은 둘러 보았다.

오직 작은 공원에 사람들은 보이지 않고 학교 앞에 노인이 앉아있다.

카로얀은 가까이 다가가 인사했다. "안녕하세요."

"안녕하세요." 노인이 대답했다.

"여기에 찻집이 있나요?"

"예" 남자는 말하고 읍사무소를 가리켰다.

"저기 읍사무소 뒤에"

그러나 아직 일러 찻집은 닫혀 있어요.

"감사합니다." 카로얀은 말했다.

"문 열 때까지 기다리죠." 노인 옆 의자에 앉았다.

"마을이 큰 것 같이 보입니다." 카로얀이 말을 시작했다.

"황금 계곡이라는 아름다운 이름이네요."

"예" 남자가 대답했다.

"여기에 황금광산이 있었지요. 그래서 마을 이름이 황금
계곡입니다."

"아마 얼마 전에 이 학교를 지었네요." 카로얀이 짐작했다.

"예" 남자가 대답했다.

"의심 없이 이 마을은 아름다운 학교를 짓기에 부유하죠."

"학교는 기부로 지어진 것입니다."

노인이 설명했다.

"기부요?" 카로얀은 믿지 못했다.

"놀랍네요. 누가 이런 큰 기부를 했나요?"

"기부자의 이름은 즈라탄 드라기노브입니다.

아버지가 이 마을에서 가장 부자였죠.

황금광산, 거대한 땅, 방앗간, 공장, 양조장을 가지고 있
었어요.

아버지가 돌아가시자 즈라탄은 모든 것을 상속하고 동생

에게 아무것도 주지 않았어요.

동생 필립은 아무것도 남지 않아 마을을 떠났지요. 아버지처럼 즈라탄은 황금 계곡에서 가장 부자가 되었죠. 그러나 욕심과 잔인함 때문에 운명이 벌을 내렸어요. 즈라탄은 눈이 멀게 되었죠.

몇 년 뒤 분명 그 사실이 즈라탄을 괴롭게 하기 시작했어요.

혼자 생각했죠. '나는 부자지만 내 땅, 방앗간, 공장, 돈, 해와 하늘도 보지 못한다.'

그래서 학교 짓는데 돈을 내기로 했어요.

마을에는 오래되고 작은 학교가 있었어요. 그러나 아이들은 많아지고 새로운 큰 학교가 필요했지요. 오래된 학교를 부수고 그 자리에 즈라탄의 돈으로 새 학교를 지었죠."

"정말 아름다운 학교네요." 카로얀이 말했다.

"예"

"정말 찻집 문이 이미 열렸어요. 안녕히 계세요." 카로얀이 말했다.

"안녕히 가세요." 남자가 대답했다.

카로얀은 의자에서 일어나 노인을 쳐다보고 놀라서 머뭇거렸다.

이제서야 노인이 시각장애인이라는 것을 알았다.

LA NOVA LERNEJO

La ŝoseo similis al arĝenta rubando, rekta kaj glata. Je ĝiaj du flankoj estis verdaj kampoj kaj ie-tie videblis florantaj arboj kiel fianĉinoj en blankaj roboj. La printempo kiel nevidebla mirakla birdo etendis vastajn flugilojn kaj la naturo vekiĝis por nova vivo.

En la suna aprila mateno Kalojan ŝoforis malrapide al urbo Burgo. Granda ŝildo informis, ke post dek kilometroj oni riparas la ŝoseon kaj la aŭtoj devas deflankiĝi laŭ alia vojo. Kalojan direktis la aŭton laŭ la indikita vojo kaj alia ŝildo signis la nomon de la vilaĝo al kiu li proksimiĝis: Ora Valo. Neniam Kalojan estis en tiu ĉi vilaĝo. Li decidis halti, trarigardi ĝin kaj trinki kafon.

Kalojan parkis la aŭton sur la granda vilaĝa placo, kie staris la konstruaĵoj de la vilaĝdomo, de la biblioteko kaj de la lernejo. La vilaĝdomo kaj la biblioteko estis malnovaj, sed la lernejo - tute nova, bela kun grandaj fenestroj. Kalojan ĉirkaŭrigardis. Ne videblis homoj, nur en la eta parko, antaŭ la lernejo, sidis maljunulo. Kalojan proksimiĝis al li.

-Bonan matenon – salutis li.

-Bonan matenon – respondis la maljunulo.

-Ĉu ĉi tie estas kafejo?

-Jes – diris la viro kaj montris al la vilaĝdomo. – Tie, malantaŭ la vilaĝdomo, sed ankoraŭ estas frue kaj la kafejo estas fermita.

-Dankon – diris Kalojan – mi iom atendos, ke oni malfermu ĝin – kaj li sidis sur la benkon ĉe la maljunulo.

-Videblas, ke la vilaĝo estas granda – ekparolis Kalojan – belan nomon ĝi havas – Ora Valo.

-Jes – diris la viro – ĉi tie estis ora minejo, tial la nomo de la vilaĝo estas Ora Valo.

-Eble antaŭnelonge oni konstruis tiun ĉi lernejon – supozis Kalojan.

-Jes – respondis la viro.

-Sendube la vilaĝo estas riĉa por konstrui belan lernejon.

-La lernejo estas donaco – klarigis la maljunulo.

-Ĉu donaco! – ne kredis Kalojan. – Mirinde! Kiu faris tian grandan donacon?

-La nomo de la donacinto estas Zlatan Draginov. Lia patro estis la plej riĉa homo en la vilaĝo. Li posedis la oran minejon, havis grandegan bienon, muelejon, fabrikon pri heliantoleo, vinfabrikon. Kiam li mortis, Zlatan Draginov, la filo, heredis ĉion kaj nenion donis al sia frato. Lia frato, Filip, restis sen havaĵo kaj forlasis la vilaĝon. Zlatan Draginov, kiel sia patro, iĝis la plej riĉa en Ora Valo. Tamen la sorto punis lin pro lia avideco kaj krueleco. Zlatan blindiĝis. Post jaroj certe la konscio komencis turmenti lin. Kaj li diris al si mem: mi estas riĉa, sed mi ne vidas miajn bienon, muelejon, fabrikojn, monon, nek la sunon, nek la ĉielon. Kaj li decidis doni monon por la konstruado de la lernejo. En la vilaĝo estis malnova lernejo, sed malgranda. La infanoj tamen estas multaj, necesis nova granda lernejo. Oni detruis la malnovan lernejon kaj sur ĝia loko konstruis la novan lernejon per la mono de Zlatan Draginov.

-Vere bela lernejo – diris Kalojan.

-Jes.

-Verŝajne oni jam malfermis la kafejon. Ĝis revido – diris Kalojan.

-Ĝis revido –respondis la viro.

Kalojan ekstaris de la benko, alrigardis la maljunulon kaj restis surprizita. Nun li vidis, ke la maljunulo estas blinda.

사랑의 다리

어느 마을들은 산 가운데 높이 있다.

깊은 숲이나 가파른 바위 아래 숨겨져 집들은 하얀 양 떼를 닮았다.

그 위를 천천히 위엄있게 둥글게 나는 독수리만이 이 마을들을 본다.

산 위 저기에 '작은 별'이라는 마을이 있다.

정확히는 높은 작은 별과 낮은 작은 별 2개 마을이다.

여러 산 사이를 흐르며, 엄청 빠르고, 시끄럽고, 폭풍 치듯 돌 사이에서 흐르고, 위협하는 우는 소리는 깊은 숲에 숨은 화난 용의 소리를 닮은, 성난 야누스 강의 두 강가에 있다.

이미 오래전부터 높은 작은 별과 낮은 작은 별 사이에는 잔인한 미움이 있다.

이 미움이 언제 시작되었는지 아무도 모르고 그 누구도 기억하지 않는다.

두 마을의 거주자들은 강을 건너 다른 마을로 가면 저주를 받거나 죽을 것이기 때문에 감히 강을 건너려고 하지 않는다.

높은 작은 별의 젊은이들은 낮은 작은 별의 아가씨와 결혼하지 않고 그 반대도 마찬가지다.

두 마을의 거주자들은 오직 화내면서 서로 반대편 해안을 쳐다본다.

강은 피의 경계이고 모두 거기서 멀리 떨어져 있다.

그러나 한 번은 기적이 일어났다.

힘이 세고 용감한 낮은 작은 별 마을의 피린이라는 젊은 이가 높은 작은 별 마을의 아름다운 아가씨 리라와 사랑에 빠졌다.

리라는 자두 같은 눈, 흑단처럼 검은 머리카락에 날씬한 아가씨다.

리라가 젊은이를 보고 불꽃이 마음에서 생겨나 아무도 끌 수 없었다.

피린은 키가 크고, 쇠같이 강한 팔을 가지고 몸통이 컸다. 나무꾼으로 가장 두꺼운 나무조차도 도끼질해서 쓰러뜨린 경험이 있다.

해에 그을린 얼굴은 막 구운 빵과 같고 눈은 산의 호수처럼 파랗다.

리라와 피린의 사랑은 너무나 굳세서 감히 어떤 위협이나 사람의 저주도 두렵게 할 수 없었다.

어느 밤 피린은 리라를 데리러 강을 몰래 건넜다.

하지만 무서운 일이 생겼다.

피린과 리라가 강에 빠졌다.

누구도 왜 그런 일이 생겼는지 알지 못한다.

소용돌이치는 강에 떨어졌을까?

아니면 무언가가 강에 빠뜨렸을까?

일주일 내내 아무도 피린과 리라가 죽은 것을 몰랐다. 흔적도 없이 사라졌다.

그러나 어느 양치기 어린 남자아이가 강물이 그렇게 빠르게 흐르지 않는 수풀에서 시체를 보았다.

무덤에 묻었다, 피린은 낮은 작은 별 마을에 리라는 높은 작은 별 마을에.

그들 때문에 걱정이 커졌다.

리라의 아버지 잠피르는 제일 많이 슬펐다.

하나밖에 없는 딸이라 딸이 죽은 뒤 잠피르는 시들해졌다. 그림자를 닮아 갔다.

전에는 100년 된 참나무 같았다.

며칠 사이에 머리카락은 산의 바위꼭대기 위의 눈처럼 하얗고 얼굴은 재처럼 회색이고 눈빛은 사라졌다.

잠피르는 건축자였다.

높은 작은 별 마을에서 여러 채 건물을 지었으나 리라가 죽은 뒤에는 일하기를 그만두었다.

날마다 소나무 숲 위에 있는 집 앞 돌 위에 앉아 강을 쳐다보고 말이 없었다.

무언가를 깊이 생각할까 아니면 리라가 어린아이였을 때를 기억할까?

그때는 리라를 어깨 위에 올려두고 다녔으며 빠른 사슴처럼 풀밭 사이로 장난삼아 리라와 함께 뛰었다.

어느 여름날 잠피르는 말했다.

"이런 일이 다시는 있어서는 안 돼. 성난 야누스 강 위에 다리를 만들 거야."

그리고 다리를 만들기 시작했다.

전에 누구도 강 위에 다리에 대해 생각조차 하지 않았다. 높은 작은 별 마을 사람들이 잠피르가 슬퍼서 미쳤다고 말했다.

다른 사람들은 결심에 놀라고 어떤 사람은 비웃었다.

그러나 잠피르는 다리를 계속 지으며 말이 없다.

혼자 돌, 나무를 나르고 지지대(支持臺)를 만들었다.

아침부터 해질 때까지 일했지만 밤에는 누가 하루 내내 만든 건축물을 무너뜨렸다.

그러나 잠피르는 일하기를 멈추지 않았다.

꾸준히 하여 마침내 이루어냈다.

성난 야누스 강 위에 돌로 된, 다른 해안으로 손을 뻗은 힘센 팔처럼 하얀 다리가 생겼다.

다리 돌 위에 잠피르는 이 말을 새겼다.

이 다리를 리라와 피린을 기억하기 위해 나는 세웠다.

그래서 이름을 '사랑의 다리'라고 부른다.

오랜 시간 아무도 이 다리로 건너지 않았다.

강 위에 서 있지만 두 마을 사람은 그저 조용히 보기만 했다.

처음에 마을의 아이들이 다리에서 놀았다. 나중에는 건너기 시작했다.

부모의 위협은 무섭지 않았다.

아이들은 자라서 결혼하기 시작하고, 가족을 이루고, 높고 낮은 작은 별은 한 마을이 되었다.

LA PONTO DE LA AMO

Iuj vilaĝoj estas alte en la montaro. Ili kaŝas sin en densaj arbaroj aŭ sub krutaj rokoj kaj iliaj domoj similas al grego da blankaj ŝafoj. Tiujn ĉi vilaĝojn vidas nur la agloj, kiuj malrapide kaj majeste rondflugas super ili. Tie, alte en la montaro, estas vilaĝo Steleto. Pli ĝuste estas du vilaĝoj – Alta Steleto kaj Malalta Steleto. Ili situas je du bordoj de rivero Furioza Jana, montara rivero, rapidega, brua, tondra, kiu saltas de ŝtono al ŝtono kaj ĝia minaca muĝado similas al hurlo de kolera drako, kiu kaŝas sin en la densa arbaro.

Jam de multaj jaroj inter Alta Steleto kaj Malalta Steleto estas kruela malamo. Neniu scias kaj neniu memoras kiam komenciĝis tiu ĉi malamo. La loĝantoj de du vilaĝoj ne kuraĝas trapasi la riveron, ĉar se iu trapasus ĝin kaj irus en alian vilaĝon, li aŭ ŝi estos malbenita aŭ mortigita. La junuloj el Alta Steleto ne edzinigas junulinojn el Malalta Steleto kaj inverse. La gevilaĝanoj el du vilaĝoj nur kolere rigardas unu la alian de la kontraŭaj bordoj. La rivero estas sanga limo kaj ĉiuj staras malproksime de ĝi.

Tamen foje okazis miraklo. Pirin, junulo forta kaj kuraĝa el vilaĝo Malalta Steleto ekamis Rilan, belegan junulinon el Alta Steleto. Rila estis svelta junulino kun okuloj kiel prunoj kaj hararo nigra kiel ebono. Kiam Rila rigardis junulon, fajro ekflamis en lia animo kaj nenio eblis estingi ĝin.

Pirin estis alta korpolenta kun brakoj fortaj kiel ŝtalo. Arbohakisto, li spertis forhaki eĉ la plej dikan arbon. Lia sunbrunigita vizaĝo similis al ĵus bakta pano kaj liaj okuloj bluis kiel montaj lagoj. La amo inter Rila kaj Pirin estis tiel forta, ke nenio timigis ilin, nek la minacoj, nek la malbenoj de la homoj.

Iun nokton Pirin kaŝe trapasis la riveron por preni Rilan, tamen okzis io terura. Pirin kaj Rila dronis en la rivero. Neniu komprenis kiel tio okazis. Ĉu ili falis en la kirlantan riveron aŭ iu postsekvis ilin kaj dronigis ilin. Tutan semajnon neniu sciis, ke Pirin kaj Rila mortis. Ili malaperis senspure. Tamen iu knabo, paŝtisto, vidis iliajn kadavrojn ĉe arbusto, en loko, kie la rivero ne tiel rapide fluas. Oni entombigis ilin. Pirin en vilaĝo Malalta Steleto kaj Rila – en Alta Steleto.

La ĉagreno pri ili estis granda. La plej forte tristis Zamfir, la patro de Rila. Ŝi estis lia sola ido kaj post ŝia morto Zamfir forvelkis. Li eksimilis al ombro. Antaŭe li estis forta kiel jarcenta kverko. Nur dum kelkaj tagoj lia hararo iĝis blanka kiel la neĝo sur la pinto Dia Roko, lia vizaĝo - griza kiel cindro, la lumo en liaj okuloj malaperis.

Zamfir estis konstruisto. Multajn domojn li konstruis en vilaĝo Alta Steleto, sed post la morto de Rila li ĉesis labori. Tutan tagon li sidis sur ŝtono antaŭ sia domo, kiu estis supre, ĉe la pinarbaro, li rigardis la riveron kaj silentis. Ĉu li meditis pri io aŭ li rememoris Rilan, kiam ŝi estis eta infano. Tiam li portis ŝin surŝultre kaj kun ŝi lude kuris tra la herbejo kiel rapida cervo.

Iun someran tagon Zamfir diris:

-Tio plu ne devas esti! Mi konstruos ponton super Furioza Jana.

Kaj li komencis konstrui la ponton. Antaŭe neniu eĉ pensis pri ponto super la rivero. La vilaĝanoj el Alta Steleto diris, ke Zamfir freneziĝis pro la tristo. Aliaj miris pri lia decido, iuj priridis lin. Tamen Zamfir konstruadis la ponton kaj silentis. Li mem portis ŝtonojn, lignon, faris subtenilojn. De matene ĝis sunsubiro li laboris, sed nokte iu detruis la konstruon, faritan dum la tago. Zamfir tamen ne ĉesis labori. Obstina li estis kaj li sukcesis. Super Furioza Jana ekestis ponto, ŝtona, blanka kiel forta etendita brako al alia bordo. Sur ŝtono ĉe la ponto Zamfir ĉizis la vortojn: "Tiun ĉi ponton mi konstruis je rememoro de Rila kaj Pirin kaj mi nomis ĝin "La Ponto de la Amo".

Dum longa tempo neniu pasis tra la ponto. Ĝi staris super

la rivero kaj la vilaĝanoj el du vilaĝoj nur silente rigardis ĝin. Unue la infanoj el la vilaĝoj ludis ĉe la ponto, poste ili komencis pasi sur ĝi. La minacoj de la gepatroj ne timigis ilin. La infanoj plenkreskis, komencis geedziĝi, fondis familiojn kaj Malata kaj Alta Steletoj iĝis unu vilaĝo.

만남

트라얀은 찻집 문 옆에서 기다렸다.

그 옆으로 남자 여자들이 지나갔다.

긴장하며 쳐다보고 생각했다.

여기서 나는 우리 안의 작은 동물 같다.

모두가 오직 나만 쳐다본다.

손바닥은 난로 옆에 있는 듯 땀이 났다.

입술은 말랐다.

여종업원 중 정말 같은 나이로 보이는 하나가 몇 번 가볍게 움직이는 다람쥐처럼 옆으로 빠르게 지나갔다.

유혹하듯 쳐다보았지만 지금 트라얀은 사랑할 만한 기분이 아니다.

그러나 아가씨는 아름답고 작은 별 같은 눈, 밀 빛깔 머리카락, 휘어지는 갈대 같은 몸매를 했다. 트라얀은 매우 중요한 남자를 여기서 만나야 하므로 찻집에 왔다.

트라얀은 그 남자를 모르지만, 그 남자는 자신을 보면 곧 알아차릴 거로 생각했다.

'왜 지금 나를 만나고 싶어 하지?'

트라얀은 궁금했다.

오랜 세월 이 남자에 대해 생각했다.

지금까지 아버지는 안톤이라고 알고 있다.

그러나 트라얀은 안톤이 친아버지가 아니라고 짐작했다.

왜 그렇게 짐작했는지 설명할 수 없다.

트라얀의 지인이나 친척은 안톤이 아버지가 아닌 것을 알까?

정말, 그들은 확실히 알지만 아무도 트라얀에게 말하지 않았다.

트라얀에 대해서 안톤은 매우 사랑했고 진짜 아버지임을 보이려고 매우 애썼다.

정말 바로 그 점이 의심할 만하고 그래서 트라얀은 안톤이 아버지가 아니라고 생각했다.

노력에도 불구하고 진실을 알 수 없었다.

어머니는 잘 돌보고 그것을 숨겼다.

그러나 다소 빠르게 모든 것이 분명해 질 것이라고 확신했다.

지금 찻집에서 무엇을 느끼는지 정확히 설명할 수 없다.

호기심인지 불안인지 진짜 아버지를 눈으로 본다는 굳센 바람인지 아마 두려움을 느꼈다.

정말 아버지를 보면 꿈이 깨질 것이다.

오래전부터 진짜 아버지를 보기를 꿈꿨다.

아버지는 키가 크고 자신처럼 검은 곱슬머리에 검은 눈을 가졌다고 생각했다.

아버지는 안톤처럼 냉담한 사람은 아니라고 확신했다.

진짜 아버지는 반드시 열렬하고 힘세고 항상 웃고 많은 일로 매우 바쁠 것이다.

진짜 아버지는 기관사라고 생각했다. 왜 그렇게 생각했을까?

아니면 아버지는 자신의 엄마처럼 의사일 것이다.

아버지와 엄마는 의학을 공부하며 그렇게 알게 되고 결혼했을 수 있다.

그러나 나중에 무슨 일이 일어났을까?

왜 아버지는 사라졌을까?

거의 10년간 어디에 계셨을까?

이틀 전 기대하지 않은 전화 소리가 모든 것을 바꾸었다.

모르는 여자가 전화해서 말했다.

"여보세요, 트라얀씨. 진짜 아버지를 보기 원하나요?"

분명히 여자는 트라얀을 잘 알았다.

누구냐고 물으니 여자가 대답했다.

"나는 고모란다. 네 아버지의 여동생"

매우 세게 놀랐다.

고모, 아버지의 여동생이 있으리라고 짐작도 못 했다.

곧 아버지를 꼭 보기를 원한다고 대답했다.

언제 어디서 만날 것인지 설명해 주셨다.

여기 지금 트라얀은 찻집에 서 기다리며 어디서 누가 살피고 있다고 느꼈다.

트라얀은 오른쪽, 왼쪽으로 찻집의 사람들을 살펴 보았지만, 사람들이 많았다.

그들은 탁자에 두세 명씩 앉아 커피나 맥주를 마셨다.

'아버지는 어디에 계실까?'

어느 탁자에도 혼자 있는 남자는 보이지 않았다.

아마 얼마 뒤 찻집으로 키 크고 힘센 검은 머리카락의

남자가 들어와 인사할 것이다.

그러나 이미 30분이 지났지만 비슷한 남자는 찻집에 들어오지 않았다.

아마 아버지는 안 올 것이다.

무슨 일이 생겨 오지 않을 것이다.

아니면 마지막 순간에 오기를 그만두었을 것이라고 걱정스럽게 생각했다.

그러나 희망을 버리고 싶지 않았다.

찻집으로 갈 때 엄마에게 여자아이를 만난다고 말했다. 집에 돌아가면 다시 거짓말로 여자아이가 만나러 오지 않았다고 엄마에게 말해야 할 것이다. 다람쥐를 닮은 상냥한 젊은 여종업원이 가까이 다가와 빙긋 웃으며 말했다.

"구석 탁자에 앉은 남자와 여자가 오라고 부탁했어요."

곧 찻집 구석에 있는 탁자를 쳐다보았다. 전에 거기 앉아있는 남자와 여자를 보았다.

그러나 그들이 자기를 기다린다고 짐작하지 못했다.

가까이 다가가 말했다. "제가 트라얀입니다."

여자가 대답했다.

"내가 고모 마리아고 이 분이 아버지 시므온이다."

빼빼한 고모는 창백하고 주름진 얼굴로 빠르게 말했다.

활짝 웃었지만 조금 슬프게 마음이 쓰라리다.

트라얀은 아버지께 몸을 돌렸다.

매우 키가 작고 더러운 작은 유리를 닮은 회색 눈에 대머리였다.

탁자에 앉았다.

"무엇을 마시겠니?" 고모가 물었다.

"오렌지 주스요." 트라얀이 대답했다.

고모는 여종업원을 불렀다.

아버지는 탁자를 보면서 말이 없다.

무엇을 말하고 무엇을 물어볼지 몰랐다.

마침내 용기를 내어 작게 물었다.

"그동안 어디에 계셨어요? 아버지."

아버지라는 단어가 바위 위에서 떨어지는 작은 돌처럼 입에서 나왔다.

시므온은 놀라서 쳐다보았다.

정말로 이런 말을 들으리라고 믿지 않았다.

잠깐 눈에서 빛이 나더니 빠르게 사라지고 다시 더러운 작은 유리같이 되었다.

정말 작게 시므온이 말을 꺼냈다.

"나는 감옥에 있었다."

놀랐다. 이런 말을 들었다고 믿지 못했다.

"감옥이요?"

"응" 고개를 끄덕였다. "18년간 감옥에 있었다."

"왜요?" 떠듬떠듬 말했다.

"질투 때문에 사람을 죽였다."

크게 열린 눈으로 놀라서 쳐다보았다.

여종업원은 오렌지 주스를 가져다주고 부드럽게 빙긋 웃었다.

마시기 위해 차를 들 수 없다.

움직이지 않고 분필이나 먼지를 닮은 이상한 회색으로 앙상한 얼굴의 아버지를 쳐다보았다.

시므온은 오래되고 유행이 지난 조금 큰 잠바를 입었다. 푸른 와이셔츠의 깃은 단추가 안 채워져 있고, 목젖은 함께 묶인 참새처럼 움직였다.

나는 감옥에 있다고 말하는 것을 원치 않았다.

시므온이 말했다. "너는 이제 다 자랐다."

트라얀은 말이 없다.

땀이 나고 무엇을 느끼는지 정확히 설명할 수 없다.

아버지에 대한 동정, 고통 아니면 아무것도.

트라얀 앞에 모르는 남자가 앉아있다.

트라얀은 누구를 죽였냐고 묻고 싶지 않았다.

아버지와 아들은 말이 없다.

서로 아무것도 말할 수 없다.

시므온은 용감하게 말하려고 하지 않았다.

트라얀은 생각했다. 아마 감옥에서 수많은 조용한 시간을 보냈다.

거기서 조용해지는 데 익숙해졌거나 오직 자신에게만 말했다.

끝없는 혼자 말하기다.

얼마나 오랜 시간 움직이지 않고 조용히 있었는지 말할 수 없다.

시므온은 여종업원을 불러 값을 치르고 일어섰다.

"안녕" 아버지가 말했다.

"안녕히 가세요." 트라얀이 말했다.

"네 고모가 전화해서 때때로 만나자." 시므온이 제안했다.

"알겠습니다." 트라얀이 말했다.

밖은 이미 저녁이 되었다.

10월의 마지막에 낮은 아직 따뜻하고 집으로 가는 사람은 서두르지 않았다.

트라얀은 가면서 생각했다.

마침내 오랜 세월 사람들이 내게 숨긴 비밀을 알아냈다.

닫힌 상자였고 열 수 없었다.

진짜 아버지가 감옥에 있으리라고는 그것만은 짐작조차 못 했다.

트라얀은 모든 것을 상상했지만 그것은 아니었다.

정말 상상은 어린이의 종이배가 떠다니는 파도 같다.

상상은 우리를 위험하게 잘못하게 만드는 비현실적인 그림을 그린다.

트라얀은 집으로 돌아왔다. 엄마, 안톤과 함께 저녁을 먹을 때 엄마가 물었다.

"만남은 어땠니?"

트라얀은 떨렸다. 우연히 엄마가 내가 아버지를 만난 것을 알지 않겠지?

트라얀은 천천히 대답했다.

"여자아이가 안 왔어요."

"그럴 것이라고 짐작했다." 엄마가 말했다.

"네가 돌아올 때 슬프게 보였지.
걱정하지 마라.
다른 여자아이를 알게 될 거야.
여자들은 그래."

RENKONTIĜO

Trajan staris en la kafejo, proksime ĉe la pordo, kaj atendis. Preter li pasis viroj, virinoj. Li streĉe rigardis kaj meditis: "Ĉi tie mi estas kiel besteto en kaĝo. Ĉiuj rigardas nur min." Liaj polmoj ŝvitis kvazaŭ ili estis en forno, lia buŝo sekiĝis. Unu el la kelnerinoj, verŝajne samaĝa al li, kelkfoje rapide kuris preter li kiel facilmova sciuro, kaj alloge ŝi rigardis lin, sed nun Trajan ne hvis humoron amindumi. Tamen ŝi estis bela, kun okuloj, similaj al steletoj , tritikkolora hararo kaj korpo kiel fleksebla kano.

Trajan venis en la kafejon, ĉar ĉi tie li devis renkontiĝi kun viro, tre grava por li. Trajan ne konis tiun viron, sed li opiniis, ke se vidus lin, li tuj rekonos lin. "Kial nun li deziras renkontiĝi kun mi? – demandis sin Trajan."

Multajn jarojn Trajan pensis pri tiu ĉi viro. Ĝis nun li sciis, ke lia patro estas Anton, sed Trajan supozis, ke Anton ne estas lia vera patro. Trajan ne povis klarigi kial li supozis tion. Ĉu la konatoj kaj la parencoj de Trajan sciis, ke Anton ne estas lia patro? Jes, ili certe sciis, sed neniu diris al Trajan. Anton rilatis al Trajan tre kare, li tre penis montri, ke li estas la vera patro de Trajan. Verŝajne ĝuste tio estis suspektinda kaj tial Trajan supozis, ke Anton ne estas lia patro.

Malgraŭ la klopodoj, Trajan ne povis ekscii la veron. La patrino zorge kaŝis tion. Tamen Trajan certis, ke pli-malpli frue ĉio estos klara.

Nun, en la kafejo, Trajan ne povis ĝuste difini kion li sentas, ĉu scivolon, ĉu maltrankvilon, ĉu fortan deziron ekstari vid-alvide kun sia vera patro, aŭ eble li sentis timon. Verŝajne Trajan senreviĝos kiam li vidos la patron. Ja delonge li revis vidi sian veran patron. Trajan imagis, ke la patro estas alta kun nigra krispa hararo kiel Trajan mem kaj kun nigraj okuloj. Trajan certis, ke la patro ne estas flegmulo kiel Anton. Lia vera patro nepre estas impeta, forta, ĉiam ridetanta, tre okupata pro multe da laboro. Trajan opiniis, ke lia vera patro estas lokomotivestro. Kial li imagis tion? Aŭ eble la patro estas kuracisto kiel la patrino de Trajan. Povas estis, ke la patro kaj la patrino studis medicinon kaj tiel ili konatiĝis kaj geedziĝis. Tamen kio okazis poste? Kial la patro malaperis? Kie li estis preskaŭ dekok jarojn.

Aantaŭ du tagoj neatendita telefonalvoko renversis ĉion. Nekonata virino telefonis al Trajan kaj diris: "Saluton Trajan, ĉu vi deziras vidi vian veran patron?" Certe ŝi bone konis Trajan. Li demandis kiu ŝi estas kaj la virino respondis: "Mi estas via onklino, fratino de via patro."

Tio forte surprizigis Trajan. Li ne supozis, ke li havas onklinon, fratinon de lia patro. Tuj Trajan respondis, ke li nepre deziras vidi sian patron kaj la virino klarigis kiam kaj kie okazos la renkontiĝo.

Jen, nun Trajan staras en la kafejo, atendas kaj li sentas, ke iu de ie atente observas lin. Trajan turnas sin dekstren, maldekstren, rigardas la homojn en la kafejo, sed ili estas multaj. Ili sidas ĉe la tabloj duope aŭ triope, ili trinkas kafon aŭ bieron, sed kie estas lia patro? Ĉe neniu tablo videblas sola viro. Aŭ eble postnelonge en la kafejon eniros alta, forta viro kun nigra hararo kaj salutos lin, sed jam duonhoron simila viro ne eniris la kafejon. Eble la patro ne venos. Io okazis kaj li ne venos. Aŭ povas esti, ke en la lasta momento li rezignis veni, meditas maltrankvile Trajan. Tamen Trajan ne deziras senesperiĝi.

Kiam li ekiris al la kafejo, li diris al la patrino, ke li rendevuos kun knabino. Kaj kiam li revenos hejmen, li denove devas mensogi kaj diros al la patrino, ke la knabino ne venis al la rendevuo.

La simpatia juna kelnerino, kiu similas al sciuro, proksimiĝis al Trajan, ekridetis kaj diris al li:

-La viro kaj la virino, kiuj sidas ĉe la tablo en la angulo, petas, ke vi iru al ili.

Trajan tuj rigardis la tablon en la angulo de la kafejo.

Antaŭe li vidis la viron kaj la virinon, kiuj sidis tie, sed Trajan ne supozis, ke ili atendas lin. Li proksimiĝis al ili kaj diris:

-Mi estas Trajan.

La virino respondis:

-Mi estas via onklino Maria kaj tiu ĉi estas via patro Simeon.

La onklino, maldika, malgrasa havis sulkigitan palan vizaĝon. Ŝi ridetis, sed iom triste kaj amare. Trajan turnis sin al la patro. Li estis tre malalta, kalva kun grizkoloraj okuloj, kiuj similis al malpuraj vitretoj. Trajan sidiĝis ĉe la tablo.

-Kion vi trinkos? – demandis la onklino

-Oranĝan sukon – respondis Trajan.

La onklino vokis la kelnerinon. La patro silentis, rigardanta la tablon. Trajan ne sciis kion diri, kion demandi. Fin-fine li ekkuraĝis kaj mallaŭte li demandis:

-Kie vi estis tiom da jaroj, paĉjo?

La vorto "paĉjo" elbuŝiĝis kiel ŝtoneto, falanta el roko. Simeon alrigardis Trajan mire. Verŝajne li ne kredis, ke aŭdis tiun ĉi vorton. Por momento lumo ekbrilis en lia okuloj, sed ĝi rapide estingiĝis kaj liaj okuloj denove eksimilis al malpuraj vitretoj. Tre mallaŭte Simeon ekparolis:

-Mi estis en malliberejo…

Trajan konsterniĝis. Li ne kredis, ke li aŭdis la vorton "malliberejo".

-Jes – kapjesis Simeon. – Dekok jarojn mi estis en malliberejo…

-Kial? – balbutis Trajan.

-Mi murdis homon… pro ĵaluzo…

Trajan rigardis lin per larĝe malfermitaj okuloj. La kelnerino alportis la oranĝan sukon, ŝi milde ekridetis al Trajan. Li ne prenis la glason por trinki. Li nur rigardis senmove la patron, kies vizaĝo estis osteca kun stranga griza koloro, simila al kreto aŭ al polvo. Simeon surhavis malnovan, malmodan jakon, iom granda por li. La kolumo de lia verda ĉemizo ne estis butonumita kaj lia adampomo moviĝis kiel kunligita pasero.

-Mi ne deziris, ke la homoj diru al vi, ke mi estis en malliberejo – diris Simeon. – Vi jam plenkreskis.

Trajan silentis. En la kafejo estis varme, li ŝvitis kaj ne povis difini kion ĝuste li sentas: ĉu kompaton al la patro, ĉu doloron aŭ eble nenion. Antaŭ Trajan sidis nekonata viro. Trajan eĉ ne deziris demandi kiun li murdis.

La patro kaj la filo silentis. Nenion ili povis diri unu al alia. Simeon ne kuraĝis paroili. Eble tie en la malliberejo, meditis Trajan, li pasigis sennombrajn silentajn horojn. Tie li malalkutimiĝis paroli aŭ li parolis nur kun si mem.

Estis senfinaj monologoj.

Trajan ne povis diri kiom da minutoj ili sidis senmovaj kaj silentaj.

Simeon vokis la kelnerinon, pagis kaj ekstaris.

-Ĝis revido – diris li.

-Ĝis revido – tramurmuris Trajan.

-Via onklino telefonos al vi kaj de tempo al tempo ni renkontiĝos – proponis Simeon.

-Bone – diris Trajan.

Ekstere jam vesperiĝis. Je la fino de oktobro la tagoj ankoraŭ varmis kaj la homoj ne rapidis reveni hejmen. Trajan iris kaj meditis: "Fin-fine mi eksciis la sekreton, kiun multajn jarojn oni kaŝis de mi. Ĝi estis kiel ŝlosita skatolo kaj mi ne povis malfermi ĝin. Nur tion mi ne supozis, ke mia vera patro estis en malliberejo."

Trajan imagis ĉion, sed ne tion. Ja, la imago estas kiel ondoj, sur kiuj naĝas infanaj paperaj boatoj. La imago pentras nerealajn bildojn, kiuj danĝere erarigas nin.

Trajan revenis hejmen. Kiam lia patrino, Anton kaj li komencis vespermanĝi, la patrino demandis Trajan:

-Kia estis la renkontiĝo?

Trajan ektremis. Ĉu hazarde la patrino ne eksciis, ke li

renkontiĝis kun la patro. Trajan malrapide respondis:

-Ŝi ne venis...

-Mi konjektis tion – diris la patrino. – Kiam vi revenis, mi vidis, ke vi estas malĝoja. Ne ĉagreniĝu. Vi konatiĝos kun alia knabino. Tiaj estas la virinoj.

하얀 악몽

병원 입원실은 벽, 천장, 침대, 침대보, 방석, 조명, 이 모든 것이 하얗다.

하얀색이 마리아를 괴롭혔다. 마치 무겁고 하얀 눈사태 아래 누워있는 듯 숨 쉴 수 없다.

마리아는 눈을 감고 계속해서 하얀 산, 하얀 강, 하얀 구름, 하얀 옷의 남자들, 하얀 옷의 여자들처럼 하얀색이 그렇게 괴롭다고 생각한 적이 전에는 없다.

마리아가 보기에 죽음의 색, 아픔, 슬픔, 절망, 고통, 검은색은 흉몽이다.

그래서 마리아는 검은색 옷을 사지 않는 습관이 있다.

조명 없는 것과 어둠을 좋아하지 않는다.

지금 병원 침대에 움직이지 않고 누워있다.

뭔가 좋고 아름다운 것에 대해 생각하려고 했다.

수술을 받고 지금 빠르게 회복되고 있다.

이틀 뒤 병원에서 퇴원할 것이다.

그러나 침대에서 곧 일어나, 봄의 따뜻한 호흡이 있고, 여러 색깔 꽃으로, 푸르게 된 나무들로 환호하고 모든 자연이 기뻐하는 밖으로 나가고 싶다.

곧 아침 10시가 될 것이고 치료제를 가지고 올 간호사 베셀라를 기다렸다.

마리아는 참을성 있게, 젊고 아름답고 친절하고 항상 상쾌하며 부드럽게 웃는 베셀라를 기다린다.

베셀라는 매우 자신의 직업을 좋아한다.

환자를 아주 잘 돌본다.

마치 간호사가 되려고 태어난 것처럼, 아마 어릴 때부터 이 직업에 대해 꿈을 꾸었을 것이다.

문이 열리고 방으로 베셀라가 들어왔다. 마치 꽃향기와 시원한 따뜻한 바람을 가진 봄이 베셀라와 함께 치료제를 가지고 병원 안으로 들어온 듯했다.

"오늘 어떠세요? 아포스톨로바 아주머니."

친절하게 물었다.

마리아는 쳐다보며 다시 자신에게 말했다.

'정말 베셀라는 가장 착하고 가장 아름다운 간호사구나.'

젊은 간호사의 얼굴은 매끈하고 눈은 벨벳처럼 부드럽고, 작고 부드러운 눈썹, 짙은 눈꺼풀, 입술은 즙이 많은 나무딸기를 닮았다. 베셀라는 하얀 바지, 하얀 블라우스, 하얀 모자, 동화에서 나오는 요정 같다.

"잘 지내요." 마리아가 말했다.

"당신은? 오늘도 역시 빙긋 웃고 분명 걱정이 없겠군."

"저 역시 모든 사람처럼 걱정이 있어요." 작게 베셀라가 말했다.

"그러나 그것을 보이고 싶지 않아요."

"걱정이 있다고 믿지 못하겠어요.

당신은 항상 편안하고 친절해요."

"저는 환자들이 항상 저를 편안하게 보도록 노력합니다. 왜냐하면, 그것이 빨리 나으리라는 힘과 희망을 주거든요."

"당신처럼 젊고 예쁜 여자가 어떤 문제를 가지고 있나요?" 베셀라와 조금이라도 이야기하고 베셀라와 베셀라의 삶에 대해 뭔가를 알고 싶은 마리야가 물었다.

"제 가장 큰 문제는 지금 살 곳이 없다는 겁니다." 슬프게 대답했다.

"지금까지 저와 동료는 빌린 집에서 함께 살았어요. 그런데 제 동료가 결혼하게 되었어요. 저는 집에 남았는데 임대료가 너무 비싸서 임대료를 낼 수 없어요. 나는 다른 집을 찾기 시작했지요. 그러나 찾지 못했어요. 모든 곳의 임대료가 너무 비싸서요."

마리아는 주의 깊게 들었다.

정말 간호사의 급여는 많지 않고, 대도시의 집 임대료는 비싸다.

"어디에서 왔어요?" 마리야가 물었다.

"저는 피르고라는 도시에서 나고 살았어요."

베셀라가 대답했다.

마리아는 피르고라는 도시가 산악지대 어디에 있는 작은 곳이라는 것을 안다.

"부모님은 연금생활자라서 제게 돈으로 도울 수 없어요."

베셀라가 계속 말했다.

"제가 도우려고 대도시에 일하러 왔어요."

마리아는 지금은 웃지 않는 베셀라의 검은 눈을 보았다. 눈길은 슬펐고 이 순간 베셀라는 크고 모르는 도시에서 길을 잃고 도움받을 수 없는 작은 어린 여자아이를 닮았다.

갑자기 어떤 생각이 마리아를 빛나게 했다.

마리아와 남편 안드레이는 산이 가까운 지역의 이층집에서 산다. 둘이서 살며 자녀는 없다.

그래서 베셀라에게 같이 살자고 제안하려고 마음먹었다.

"우리 집은 커요." 마리아가 말했다.

"우리와 함께 살 수 있어요. 나와 남편은 잘 벌고 임대료는 비싸지 않아요."

"감사합니다. 매우 고맙습니다." 베셀라는 말했다.

그러나 아직 마리아가 사는 것을 제안하는 걸 믿지 못했다.

"당신은 정말 사랑스럽네요.

제게 그것은 큰 도움입니다."

베셀라가 기뻐했다.

"곧 나는 병원을 떠나니 집을 보러 오세요.

마음에 든다면 우리랑 같이 삽시다."

"감사합니다. 어떻게 감사해야 할지 모르겠습니다."

베셀라가 되풀이했다.

그리고 웃음이 다시 부드럽고 매끄러운 얼굴을 빛나게 했다.

마리아가 집으로 돌아온 며칠 뒤 베셀라는 집을 보고 살 것인지 결정하러 왔다.

마리아는 기쁘게 만났다.

마리아가 보여준 방은 1층에 있다.

검소하게 꾸며진 가구로 침대, 옷장, 탁자, 책장, 서랍 달린 옷장이 있다.

창은 정원을 향하여 있다.

거기에 지금 봄이라 꽃이 피어 눈같이 하얀 옷을 입은 약혼녀처럼 보이는 커다란 사과나무가 보인다.

방 옆 복도에는 식당과 욕실로 가는 문이 있다.

"식당을 사용할 수 있어요." 마리아가 말했다.

"거기에 두 개 냉장고가 있는데 하나를 쓰세요."

"감사합니다. 정말 감사합니다." 베셀라가 말했다.

일주일 뒤 베셀라는 짐을 옮겨 마리아의 집에 살게 되었다.

어느새 날이 지나갔다. 베셀라의 병원 근무는 낮이나 밤이라 마리아는 자주 볼 수 없다.

그러나 베셀라가 집에 있을 때는 마리아와 함께 자유 시간을 보냈다.

둘이 판매점에 사러 가고 산으로 산책하러 갔다.

베셀라는 마리아에게 부모와 어린 시절, 병원에서의 일에 관해 이야기했다.

마리아는 자신에 관해 이야기했다.

마리아는 교사였다.

초등학교에서 가르쳤고 아이들을 매우 좋아했다.

가끔 베셀라는 마리아가 자녀가 없어 슬픈 것을 알았다.

그러나 마리아는 결코 그 사실에 대해 무언가도 언급하지 않았다.

마리아의 남편 안드레이는 건축기술자라 가끔 일로 여행을 갔기에 항상 집에 있지는 않았다.

안드레이가 집에 없을 때는 베셀라가 옆에 살아서 기뻤다.

그래서 혼자인 것이 무섭지 않다.

삶에서 큰 사건이 없을 때 얼마나 날들이 빠르게 지나가는지, 바람에 쫓겨나는 구름처럼 차례대로 사라지는지 거의 눈치채지 못한다.

따뜻한 여름 뒤, 나뭇잎이 황금색, 노란색, 빨간색, 갈색이 되는 가을이 왔다.

정원의 사과는 익고 마리아는 베셀라가 사과를 매우 좋아한다는 것을 알았다.

가끔 방의 창 옆에 있는 큰 사과나무에서 사과를 모으곤 했다.

부드러운 가을 햇볕 때문에 빨간 사과는 빛나고 꽤 맛있다.

10월에 비가 오기 시작했다.

무거운 회색 구름이 천막 보처럼 사과, 정원을 덮었다.

커다란 빗방울이 창유리를 때리고, 이해할 수 없는 슬픔을 줬다. 나중에 겨울이 오고, 눈이 내리고, 모든 것이 하얗게 되었다. 깊은 조용함이 가득 차 마당에 눈 덮인 통로 위를 조금만 걸어도 소리가 날 지경이었다.

베셀라가 마리아의 집에 산 지 1년이 지나 여름 초에 마리아는 베셀라가 임신한 것을 알았다.

그러나 마리아는 아무것도 묻지 않았다.

마리아는 베셀라가 스스로 남자 친구, 아마 곧 있을 결혼식, 앞으로의 생활 계획에 대해 말해 주기를 기다렸다.

베셀라는 조용하고 아무것도 말하지 않고 생각에 잠긴 듯 보였다.

마리아는 베셀라를 딸처럼 대하며, 베셀라가 남편과 출산에 대해 기쁘게 말하리라 확신했다.

어느 날 전혀 예상치 못하게 베셀라가 집을 나가겠다고 말했다.

"정말로 앞으로의 남편, 아이 아빠랑 같이 살 거예요?" 마리아가 물었다.

"나는 온 맘으로 정말 행복하기를 바라요. 자녀를 낳으면 꼭 전화해요. 보러 가서 선물을 줄게요."

베셀라는 아무 말도 안 하고 빠르게 마리아를 쳐다보고 불러서 온 택시에 탔다.

3주 뒤 마리아는 베셀라에게 전화해서 이미 아이를 낳았느냐고 물었다.

베셀라는 남자애를 낳았다고 대답했다.

이 소식은 마치 자기가 아이를 나은 것처럼 마리아를 매우 기쁘게 했다.

"잘 되었네요." 기쁘게 인사했다.

"당신과 아이가 건강한 것이 가장 중요해요. 마음먹으면 전화해요. 당신이 원하면 당신과 자녀를 보러 갈게요. 나는 아이의 침례 엄마가 될게요."

그러나 한 달 뒤에도 베셀라는 전화하지 않았다.

마리아는 베셀라와 아이에게 뭐가 나쁜 일이 생겼다고 걱정하기 시작했다.

어느 저녁 마리아와 안드레이가 저녁을 먹을 때, 안드레이가 걱정하는 것을 알았다.

아마 일하는 데 문제가 있다고 마리아는 짐작했다.

안드레이 일은 어렵다. 다리를 세운다.

일꾼들은 그렇게 능숙하지 않다.

어딘가 새로 세우는 다리에 사고가 일어날 수 있다.

안드레이는 말하기를 주저했다.

눈에는 무거운 그림자가 보였다.

눈빛이 이상하고 마리아의 눈길을 피했다.

안드레이는 마치 먹기를 계속할까 안 할까 결정하지 못한 것처럼 탁자에 앉아있다.

수저를 들었다 놓았다.

마침내 천천히 말을 꺼냈다.

"베셀라가 아이를 낳은 것을 당신은 알죠."

안드레이가 말했다.

"예. 내가 전화했죠. 어느 날 베셀라를 초대합시다. 나는 아이를 위해 뭔가 아름다운 선물을 살 겁니다."

다소 이르게 모든 것이 분명해졌다.

안드레이가 말했다.

"무슨 일이 일어났는지 내가 알려주는 것이 더 좋겠네요."

마리아는 떨며 두려워하며 안드레이를 바라봤다.

"사고요?"

"내가 베셀라가 낳은 아이의 아버지요."

천천히 안드레이가 말했다.

마리아는 의자에서 흔들렸다.

휘장이 눈앞에서 떨어졌다.

어딘가에 빠진 듯했다.
무거운 눈사태가 덮어 모든 것이 하얗게 되었다.

LA BLANKA KOŜMARO

En la hospitala ĉambro ĉio estis blanka: la muroj, la plafono, la lito, la littukoj, la kuseno, la lampo… La blanka koloro turmentis Marian. Ŝajne ŝi kuŝis sub peza blanka lavango kaj ne povis spiri. Maria fermis okulojn, sed daŭre ŝi vidis blankajn montojn, balankajn riverojn, nubojn, virojn en blankaj kostumoj kaj vrinojn en blankaj roboj. Neniam antaŭe Maria opiniis, ke la blanka koloro estas tiel turmenta. Laŭ ŝi la nigra koloro estis inkuba: la kloro de la morto, de la malsanoj, de la tristo, de la senespero, de la suferoj… Tial Maria ne kutimis aĉeti nigroklorajn vestojn. Ŝi ne ŝatis la mallumon kaj la obskuron.

Nun ŝi kuŝis senmova en la hospitala lito kaj provis mediti pri io bona kaj bela. Oni operaciis ŝin kaj ŝi jam rapide resaniĝas. Post du tagoj ŝi forlasos la hospitalon. Tamen Maria deziris tuj ekstari de la lito, ekiri eksteren, kie la printempo jubilis per sia varma spiro, per la buntaj floroj, per la arboj, kies folioj jam estis verdaj kaj la tuta naturo ĝojis.

Baladaŭ estos deka horo matene kaj Maria atendis la flegistinon Vesela, kiu portos al ŝi la kuracilon. Maria senpacience atendis Vesela, kiu estis juna, bela, kara, ĉiam afabla kaj milde ridetanta. Vesela ege ŝatis sian profesion kaj ŝi bonege zorgis pri la malsanuloj, kvazaŭ ŝi naskiĝis por esti flegistino kaj eble kiam ŝi estis infano ŝi revis pri tiu ĉi profesio.

La pordo malfermiĝis, en la ĉambron eniris Vesela. Ŝi portis la kuracilon kaj kvazaŭ kun ŝi en la hospitalan ĉambron eniris la printempo kun aromo de floroj kaj freŝa varmeta vento.

-Kiel vi fartas hodiaŭ, sinjorino Apostolova? – demandis afable Vesela.

Maria alrigardis ŝin kaj denove diris al si mem: "Vere Vesela estas la plej bona kaj la plej bela flegistino."

La vizaĝo de la juna flegistino estis glata, la okuloj molaj kiel veluro, la brovoj etaj, teneraj, la palpebroj densaj, la lipoj – kiel sukplenaj framboj. Vesela surhavis blankan pantalonon, blankan bluzon, blankan ĉapeleton kaj similis al feino, kiu venis el fabelo.

-Mi bone fartas – diris Maria – kaj vi? Hodiaŭ vi denove ridetas kaj certe vi ne havas zorgojn.

-Ankaŭ mi, kiel ĉiuj homoj, havas zorgojn – mallaŭte diris Vesela, - sed mi ne deziras montri tion.

-Mi ne kredas, ke vi havas zorgojn. Vi ĉiam estas trankvila, kara.

-Mi strebas, ke la gemalsanuloj ĉiam vidu min trankvila, ĉar tio donas al ili fortojn kaj esperon, ke ili rapide resaniĝos.

-Kiajn problemojn havas juna, bela virino kiel vi? –
demandis Maria, kiu deziris iom paroli kun Vesela kaj
ekscii ion pli pri ŝi kaj ŝia vivo.

-La plej granda mia problemo estas, ke nun mi ne havas
loĝejon – respondis triste Vesela. – Ĉis nun mi kaj mia
kolegino loĝis kune en luita loĝejo, sed mia kolegino
edziniĝis. Mi restis en la loĝejo, tamen mi ne povas
lupagi ĝin, ĉar la lupago estas tre alta por mi. Mi
komencis serĉi alian loĝejon, sed mi ne trovis. La lupagoj
ĉie estas tre altaj.

Maria aŭskultis ŝin atente. Ja, la salajroj de la flegistinoj
ne estas grandaj kaj la luprezoj de la loĝejoj en la
ĉefurbo estas altaj.

-De kie vi devenas? – demandis Maria.

-Mi naskiĝis kaj loĝis en urbo Pirgo – respondis Vesela.

Maria sciis, ke urbo Pirgo estas malgranda, ie en la
montaro.

-Miaj gepatroj estas pensiuloj, ili ne povas monhelpi min
– daŭrigis Vesela. – Mi devas helpi ilin kaj tial mi venis
labori en la ĉefurbon.

Maria rigardis la nigrajn okulojn de Vesela, kiuj nun ne
ridetis. Ŝia rigardo estis trista kaj en tiu ĉi momento
Vesela similis al eta senhelpa knabino, kiu perdiĝis en

granda nekonata urbo.

Subita ideo lumigis Marian. Ŝi kaj ŝia edzo Andrej loĝis en duetaĝa domo en la kvartalo, proksima al la monto. Ili loĝis duope, ne havis infanojn kaj Maria decidis proponi al Vesela loĝi ĉe ili.

-Nia domo estas granda – diris Maria – kaj vi povus loĝi ĉe ni. Mi kaj mia edzo bone salajras kaj la lupago ne estos alta.

-Dankon, mi tre dankas al vi – diris Vesela, sed ŝi ankoraŭ ne kredis, ke Maria proponis al ŝi loĝejon. – Vi estas tre kara. Por mi tio estas granda helpo – ekĝojis Vesela.

-Baldaŭ mi forlasos la hospitalon kaj vi venos vidi la domon. Se ĝi plaĉus al vi, vi ekloĝos ĉe ni.

-Dankon! Mi ne scias kiel danki al vi – ripetis Vesela kaj ŝia rideto denove lumigis ŝian mildan glatan vizaĝon.

Maria revenis hejmen kaj post kelkaj tagoj Vesela venis vidi la domon kaj decidi ĉu ŝi ekloĝos en ĝi. Maria renkontis ŝin ĝoje. La ĉambro, kiun Maria montris al Vesela, troviĝis sur la unua etaĝo. Modeste meblita, en ĝi estis lito, vestoŝranko, tablo, libroŝranko, komodo. La fenestro rigardis al la ĝardeno. Tie videblis granda pomarbo, kiu nun en la printempo, floris kaj estis kiel fianĉino en neĝblanka robo. En la koridoro, ĉe la ĉambro, estis la manĝejo kaj la banejo.

-Vi povus uzi la manĝejon – diris Maria. – En ĝi estas du fridujoj kaj unu el ili estos por vi.

-Dankon, Koran dankon – diris Vesela.

Post semajno Vesela alportis siajn aĵojn kaj ekloĝis en la domo de Maria.

La tagoj pasis nerimarkeble. Maria ne ofte vidis Veselan, kies deĵoroj en la hospitalo estis aŭ tage, aŭ nokte. Tamen kiam Vesela estis hejme, Maria kaj ŝi kune pasigis la liberan tempon. Ili ambaŭ iris en la vendejon aĉetadi aŭ promenis en la monto. Vesela rakontis al Maria pri siaj gepatroj, pri sia infaneco, pri la laboro en la hospitalo. Maria rakontis al ŝi pri si mem. Maria estis instruistino, ŝi instruis en baza lernejo kaj tre ŝatis la infanojn. Foje-foje Vesela rimarkis, ke Maria tristas, ja ŝi ne havis idon, sed Maria neniam menciis ion pri tio. Andrej, la edzo de Maria, estis konstruinĝeniero, ne ĉiam li estis hejme, ĉar ofte oficvojaĝis. Kiam Andrej ne estis hejme, Maria ĝojis, ke Vesela loĝas ĉe ili kaj tial Maria ne timiĝis, ke ŝi estas sola.

Kiam en la vivo ne estas grandaj eventoj, oni preskaŭ ne

rimarkas kiel rapide pasas la tagoj kaj kiel ili malaperas unu post la alia kiel nuboj, pelitaj de vento. Post la varma somero venis la aŭtuno, la folioj de la arboj iĝis oraj, flavaj, ruĝaj, brunaj. La pomoj en la ĝardeno maturiĝis kaj Maria rimarkis, ke Vesela tre ŝatas ilin. Ŝi ofte kolektis pomojn el la granda pomarbo, kiu estis ĉe la fenestro de ŝia ĉambro. Pro la mola aŭtuna suno la ruĝaj pomoj brilis kaj tre bongustis.

En oktobro komencis pluvi. Pezaj grizaj nuboj kiel tendotolo kovris la domojn, la ĝardenojn. La grandaj pluvgutoj tamburis sur la fenestraj vitroj kaj sugestis nekompreneblan triston. Poste venis la vintro, ekneĝis kaj ĉio iĝis blanka. Regis profunda silento kaj aŭdeblis eĉ la plej malpezaj paŝoj sur la neĝkovrita pado en la korto.

Pasis jaro de kiam Vesela loĝis en la domo de Maria kaj en la komenco de la somero Maria rimarkis, ke Vesela estas graveda. Maria tamen nenion demandis. Ŝi atendis, ke Vesela mem rakontos al ŝi pri sia amiko, eble pri la baldaŭa edziĝfesto kaj pri siaj estontaj vivoplanoj. Vesela silentis, nenion ŝi diris kaj ŝi aspektis enpensiĝinta. Maria rilatis al Vesela kiel al sia filino kaj ŝi certis, ke Vesela ĝoje rakontos pri la edzo, pri la nasko.

Iun tagon, tute neatendite, Vesela diris al Maria, ke forlasos la loĝejon.

-Verŝajne vi ekloĝos kun via estonta edzo, la patro de la bebo? – demandis Maria. – Mi tutkore deziras al vi multe da feliĉo. Vi nepre telefonu al mi, kiam naskiĝos la bebo. Mi venos vidi ĝin kaj mi alportos donacon.

Vesela nenion diris, nur rapide ŝi alrigardis Marian kaj eniris la taksion, kiu venis por ŝi.

Post tri semajnoj Maria telefonis kaj demandis Vesela ĉu ŝi jam naskis. Vesela respondis, ke naskis knabon. Tiu ĉi novaĵo ege ĝojigis Marian, kvazaŭ ŝi mem naskis.

-Bonege. Mi kore salutas vin. La plej gravas, ke vi kaj la bebo estu sanaj. Kiam vi decidos, telefonu al mi. Mi venos vidi vin kaj la knabon kaj se vi deziras mi estus baptistino de la knabo.

Pasis monato, sed Vesela ne telefonis kaj Maria komencis maltrankviliĝi, ke io malbona okazis al ŝi kaj al la knabo.

Iun vesperon, kiam Maria kaj Andrej vespermanĝis, Maria rimarkis, ke Andrej estas maltrankvila. Eble li havis laborproblemojn, supozis Maria. La laboro de Andrej estis malfacila. Li konstruis pontojn. La laboristoj ne estis tre spertaj kaj povis okazi akcidento de iu novkonstruita ponto. Andrej hezitas ekparoli. En liaj okuloj videblis peza ombro. Lia rigardo estis stranga, li evitis la rigardon de Maria. Andrej sidis ĉe la tablo kaj kvazaŭ ne povis decidi ĉu li daŭrigu manĝi aŭ ne. Li aŭ prenis la kuleron, aŭ lasis ĝin. Fin-fine Andrej malrapide ekparolis:

-Vi scias, ke Vesela naskis knabon – diris li.

-Jes, mi telefonis al ŝi. Iun tagon ni gastu al ŝi. Mi aĉetos por la knabo ian belan donacon.

-Pli malpli frue ĉio estos klara – diris Andrej. – Pli bone vi eksciu de mi kio okazis.

Maria ektremis kaj timigita alrigardis lin.

-Ĉu akcidento?

-Mi estas la patro de la knabo de Vesela – diris malrapide Andrej.

Maria ŝanceliĝis sur la seĝo. Kurteno falis antaŭ ŝiaj okuloj. Ŝi kvazaŭ dronis ie. Peza lavango kovris ŝin kaj ĉio iĝis koŝmare blanka.

'성 엘리야' 수도원

오늘 아침에 시므온은 일찍 일어났다.

휘장을 걷어내자 해가 폭포처럼 호텔 방 안으로 들어왔다. 넓은 창 앞에는 초소에서 푸른색 군복을 입은 군인을 닮은 높은 산들이 보인다.

시므온은 세수를 하고 면도하고 옷을 입고 아침을 먹으려고 호텔의 식당으로 갔다.

멋진 몸매에 갈색 머리카락과 참외 같은 눈을 한 40살의 시므온은 이미 몇 달 전부터 호텔 '소나무'에서 거주하고 있다.

아침마다 젊은 여종업원 이스크라는 시므온이 들어오는 것을 보면 즉시 가서

'안녕하세요. 토프자코브씨'하고 친절하게 인사했다.

부드러운 몸에 하얀 종업원 옷을 입은 이스크라는 봄철에 피는 갈란투스 식물을 닮았다.

파란 눈은 빛나고 젖은 입술은 장난스러운 웃음을 띤다.

"익숙한 아침을 주문하시죠?" 이스크라가 물었다.

"예, 작은 빵 두 개, 커피, 오렌지 주스, 요리한 달걀과 바나나를 부탁해요."

그것이 시므온의 익숙한 아침이다.

항상 주문하면서 바나나, 달걀이 꼭 있어야 한다.

베르도그라드에서 거의 모든 사람이 시므온을 안다.

1년 전 여기에 와서 전에 이반노코브 교사가 소유했던

가장 아름다운 집을 샀다.

시므온은 비록 베르도그라드에 이미 호텔 '소나무'가 있음에도 불구하고 집의 넓은 마당에 큰 호텔을 짓기 시작했다.

시므온은 수학여행단을 조직해 베르도그라드에 많은 외국 사람들이 오도록 계획했다.

가끔 말한다. '여기의 자연은 아름답다. 높은 산맥, 커다란 호수, 여름에 외국인들은 산으로 산책할 것이고, 물이 시원하고 수정처럼 깨끗한 '편안한 호수'에서 낚시할 것이다.

건축 계획에 따라 시므온의 호텔 안에 현대적인 식당, 화려한 찻집, 유흥주점이 들어설 것이다.'

베르도그라드에서 사람들은 시므온이 어디서 그렇게 많은 돈을 가졌는지 궁금했다.

누구도 시므온이 누구인지 어디에서 왔는지 모른다.

어느 사람은 독일에서 공부한 기술자라고 말하고, 다른 사람은 아무것도 공부하지 않았지만 큰 재산을 물려받았다고 말했다. 그러나 더 중요한 것은 시므온이 빠르게 베르도그라드 사람들, 시장, 교사들, 시청 직원들, 판매점의 상인들과 친구가 되었다는 것이다.

여기에 와서 시의 주요 광장에 있는 '전쟁에서 다친 군인을 위한 기념비'의 수리를 위한 비용을 곧 댔다.

고등학교에서 컴퓨터 사는데도 돈을 댔다.

여기서 태어나지 않고 전에 여기서 살지 않았음에도 불

구하고 이 도시를 매우 좋아했다.

시므온은 아침 식사를 마치고 호텔건축이 어느 정도 진행되었는지 보려고 나갔다.

지금은 6월이고 9월 말에 호텔을 열기를 희망했다.

그때 큰 축제를 계획했다.

많은 손님을 초대하고 회식과 흥겨운 행사가 있을 것이다.

이미 호텔 이름은 '오리온'이라고 정했다.

천천히 거리로 나섰다.

해가 빛나는 6월의 아침이다.

멀리 보이는 호텔 건축물은 하얀 백조 같다.

지금 일꾼들이 창과 문을 세우고 있다.

전기기술자가 전기를 위해 배전반을 설치한다.

객실을 둘러보았다.

2층에는 일꾼 책임자 시야로브가 있다.

50살에 키가 작고 검은 수염과 철 빛깔의 눈을 가진 힘이 센 시야로브는 시므온에게 아직도 작업을 위해 무엇이 필요한지 말했다. 자세히 모든 것을 살폈다.

호텔은 화려하고 매우 현대적이어야 한다.

방에는 유명 화가가 그린 아름다운 풍경화가 있어야 한다.

만족해서 매우 기분 좋게 호텔에서 나와 산으로 조금 산책하려고 마음먹었다.

정말로 날씨는 매우 상쾌하다.

'항상 나는 차로 다녀서 뚱뚱해져' 시므온은 생각했다.

'더 많이 걸어야 해.'

시원한 아침 공기를 마시며 산으로 갔다.

30분 뒤 어느새 숲으로 들어갔다.

그렇게 빠르지 않게 점점 더 깊고 어두운 숲으로 들어갔다.

우람한 도토리나무 옆에 잠시 쉬려고 멈추었다.

머리를 하늘로 들고 잿빛 구름을 보았다.

바람이 조금 세게 불었다.

아마 곧 비가 내릴 것이라고 짐작했다.

보통 산속에는 날씨가 빠르게 변한다.

해가 나왔다가 뒤에 갑자기 비가 온다.

구름은 빠르게 점점 짙어 간다. 숲은 어둠 속에 잠겼다.

얇은 여름 웃옷을 입었기에 곧 돌려서 출발했다.

갑자기 심하게 비가 내렸다. 눈을 멀게 하는 번개가 구름을 가르고 힘센 천둥이 숲을 흔들었다. 떨리기 시작했다.

그것을 전혀 기대하지 않았다.

발걸음을 서둘다가 도시로 가는 길을 잘못 들었다.

멈춰 둘레를 살폈다.

심하게 비가 내린다.

높은 나무가 무섭게 하는 괴물처럼 둘레에 서 있다.

벼락이 날카로운 칼처럼 하늘을 찌르고 천둥은 귀를 먹게 했다.

더 빠르게 걸어 나갔지만 어느 방향인지 알지 못했다.

베르도그라드가 북쪽인지 동쪽인지조차 짐작할 수 없다.

어둡고 짙은 숲에서 방향을 잡지 못했다.

전에 결코 숲에서 혼자 헤맨 적이 없다.

이끼가 나무의 북쪽 편에 있다고 들은 적이 있지만 지금 자세히 나무를 살필 수도 없다.

공포에 휩싸였다.

작은 솜털 짐승 같은 두려움이 위 속에서 기어가기 시작했다.

비는 머리부터 발끝까지 젖게 만들었다.

웃옷, 바지, 신발, 양말까지도 젖었다.

바람은 더욱더 거세졌다.

떨었지만 추위 때문인지 두려움 때문인지 확신이 안 섰다.

휴대용 전화기를 꺼내 시야로브에게 전화했다.

그리고 말했다.

'시야로브씨, 나는 숲에서 산책했어요. 그러나 도시로 가는 길을 잘못 들었어요. 나를 찾으러 와 주세요. 지금 정확히 어디 있는지 몰라요.'

시야로브는 곧 다른 남자들과 함께 찾으러 가겠다고 약속했다.

'그러나 나를 찾을까?' 걱정스럽게 생각했다.

'정말로 내가 정확히 어디 있는지 말할 수 없구나.'

결코, 비슷한 공포의 상황에 부닥친 적이 없다.

계속 걷는 것이 더 좋다고 결심했다.

서 있다가는 분명 감기들 것이다.

둘레를 살피고 다시 빠르게 수풀, 가시덤불을 지나 걸어, 돌로 된 경사진 곳으로 내려갔다.

피곤해서 힘이 더 없었다.

자신에게 매우 화가 났다.

'왜 혼자 숲으로 산책하러 갔는가?'

비는 계속되고 마치 채찍처럼 때렸다.

휴대전화가 울었다.

도시의 몇 명 사냥꾼과 함께 찾으러 출발했다고 시야로브가 말했다.

시므온은 감사 인사를 했지만 시야로브의 전화 소리가 안정을 주는 것은 아니었다.

더 걸어가다가 넘어지고 떨어지고 다시 일어섰다.

갑자기 길이 보였다.

그것은 구원이다. 진짜 하나님의 도움이다.

분명히 길은 사람이 사는 것으로 안내한다.

얼마 지나지 않아 숲에서 나와 넓은 풀밭 위로 같다.

거기서 건물을 보고 기뻐서 그쪽으로 뛰어갔다.

빠르게 풀밭을 지나 큰 나무문 앞에 섰다.

수도원이었다.

미친 사람처럼 손으로 수도원 문을 두드리기 시작했다.

조금 뒤 발소리가 들렸다. 수도승이 문을 열었다.

"숲에서 길을 잃었어요." 시므온이 말했다.

"하나님 덕분에 수도원을 만났어요."

"어서 오세요. 들어오세요." 수도승이 인사했다.

시므온은 수도원 마당에 들어섰다.

"나는 수도승 비겐티입니다."

"저는 시므온입니다. 수도원의 이름이 무엇이죠?"

"성 엘리야 수도원입니다." 비겐티가 대답했다.

수도승과 시므온은 넓은 곳, 정말 수도원 식당 같은 곳으로 들어갔다.

"앉으세요. 몸을 데우세요. 옷을 가지고 올게요.

모든 옷이 다 젖었네요." 비겐티가 말했다.

"감사합니다. 베르도그라드는 가깝습니까?"

"숲을 지나 걸어가면 1시간이면 베르도그라드가 나옵니다.

그러나 찻길로 가면 거기까지 15킬로입니다."

시므온은 휴대용 전화기를 들고 시야로브에게 전화했다.

"시야로브씨, 나는 성 엘리야라는 수도원에 있어요.

도시로 갈 수 있도록 차로 와 주세요."

"곧 가겠습니다." 시야로브가 대답했다.

바겐티는 바지, 와이셔츠, 웃옷을 가져 왔다.

시므온은 옷을 갈아입기 시작했다.

비겐티는 작은 술잔에 브랜드술을 따르고 시므온에게 주었다.

"브랜드술이 조금 따뜻하게 해 줄 거예요." 비겐티가 말했다.

시므온은 곧 그것을 마셨다.

식당에는 길고 작은 나무 탁자가 있다.

구석에 몇 개 오래된 의자가 있다.

난로, 오른쪽 벽 위에 선반과 그 위에 냄비, 접시, 작은 컵이 있다.

"수도원에는 수도승이 몇 명입니까?"

시므온이 물었다.

"5명입니다." 비겐티가 대답했다.

"지금 오직 나와 할아버지 안겔라리 수도원장이 있습니다. 안겔라리 할아버지는 아파서 독방에 누워 계십니다. 다른 수도승은 물건 사러 도시로 나갔어요."

시므온은 40살 정도로 보이는 비겐티를 쳐다보았다.

매우 마르고 움푹 팬 눈에 큰 흰 수염 때문에 더 나이 들어 보인다.

검은 사제복은 헝겊을 대고 기워 낡았고 소매도 닳았다.

수도승은 신발도 아닌 덧신을 신고 있다.

"너무 열악하게 사시네요. 수도원에 살기는 쉽지 않겠어요. 여기는 전기조차도 없으니까요."

시므온이 알아차렸다.

"전기도 없이 초를 사용해요."

비겐티가 말했다.

"여기서 어떻게 살 수 있지! 무엇을 원하세요? 수도원에 기부하고 싶어요."

시므온은 놀랐다.

"아무것도 필요하지 않아요." 비겐티가 말했다.

"아무것도?" 시므온은 이해하지 못했다.

"우리는 여기에 임시로 있어요." 비겐티가 말했다.

"임시요?"

시므온이 놀라서 쳐다보았다.

"우리는 모두 임시로 지구에서 살아요."

비겐티가 설명했다.

'지구에서 임시로.' 시므온이 혼자 되풀이했다.

정말 수도승이 맞다.

1시간 전 살지 죽을지 알지 못했다.

맞다. 모든 사람은 지구 위에서 임시적이다.

왜 나는 호텔, 식당, 유흥주점이 필요할까?

시므온은 궁금했다.

오래된 나무 탁자에 팔을 기대고 식당의 작은 창으로 내다보았다.

밖에는 이제 비가 오지 않는다.

늑대가 양 떼를 쫓아낸 것처럼 바람은 잿빛 구름을 쫓아냈다. 해는 다시 빛나고 모든 나무, 수풀, 풀밭은 비에 의해 깨끗이 씻겨졌다.

LA MONAĤEJO "SANKTA ILIA"

Ĉimatene Simeon vekiĝis frue. Li tiris la kurtenon kaj la suno kiel akvofalo eniris la hotelan ĉambron. Antaŭ la vasta fenestro videblis la alta montaro, simila al soldato je posteno, surhavanta verdan soldatmantelon. Simeon banis sin, razis sin, vestiĝis kaj iris en la kafejon de la hotelo por matenmanĝi. Li, belstatura, kvardekjara viro kun brunkolora hararo kaj okuloj kiel maronoj, jam de kelkaj monatoj loĝis ĉi tie, en hotelo "Pino".

Kiel ĉiutage Iskra, la juna kelnerino, kiam vidis lin eniri, tuj iris al li.

-Bonan matenon, sinjoro Topuzakov − salutis afable ŝi lin.

Kun tenera korpo, surhavanta blankan kelneran robon, Iskra similis al printempa galanto. Ŝiaj bluaj okuloj brilis kaj sur ŝiaj sukplenaj lipoj ludis petola rideto.

-Ĉu vi mendos la kutiman matenmanĝon? − demandis Iskra.

-Jes. Bonvolu servi al mi du bulketojn, kafon, oranĝan sukon, kuiritan ovon kaj bananon.

Tio estis la kutima matenmanĝo de Simeon. Ĉiam li deziris, ke nepre estu kaj banano, kaj ovo.

Preskaŭ ĉiuj en Verdograd konis Siumeon. Antaŭ unu jaro li venis en la urbon kaj aĉetis la plej belan domon, kiun antaŭe posedis la instruisto Ivan Nokov. En la vasta korto de la domo Simeon komencis konstrui grandan hotelon, malgraŭ ke en Verdograd jam estis hotelo - "Pino". Simeon planis organizi ekskursojn kaj venigi en Verdograd multajn eksterlandanojn.

-Ĉi tie – ofte diris li – la naturo estas belega. Alta montaro, granda lago. Somere la eksterlandanoj promenos en la montaro, ili fiŝkaptados en "Serena Lago", kies akvo estas malvarma kaj pura kiel kristalo. Vintre ili skios.

Laŭ la konstruplanoj, en la hotelo de Simeon estos moderna restoracio, luksa kafejo, danctrinkejo. La homoj en Verdograd demandis sin de kie Simeon havas tiom da mono. Neniu sciis kiu li estas, de kie li venis. Iuj diris, ke Simeon estas inĝeniero, kiu studis en Germanio, aliaj supozis, ke li nenion studis, sed li heredis grandan propraĵon. Tamen pli gravis, ke Siumeon rapide amikiĝis kun multaj homoj en Verdograd: kun la urbestro, kun la instruistoj, kun la anoj de la urba admninistracio kun la vendistoj en la vendejoj...

Kiam li venis en la urbon, li tuj donis monon por renovigo de la monumento de la periintaj en la militoj soldatoj, kiu estis sur la ĉefa urba placo. Li donis monon ankaŭ al la gimnazio por aĉeto de komputiloj. Simeon tre ŝatis la urbon, malgraŭ ke li ne naskiĝis kaj antaŭe ne loĝis ĉi tie.

Post la matenmanĝo Simeon iris vidi kiel progresas la konstruado de la hotelo. Estis monato junio kaj li deziris inaŭguri la hotelon je la fino de monato spetembro. Tiam Simeon planis grandan feston. Li invitos multajn gastojn, estos bankedo kaj agrabla amuziĝo. Simeon jam decidis, ke la nomo de la hotelo estos "Oriono".

Malrapide Simeon iris sur la strato. Estis suna junia mateno. De malproksime la konstruaĵo de la estonta hotelo similis al blanka cigno. Nun la laboristoj starigis la fenestrojn kaj la pordojn. La elektroteknikistoj instalis la kondukilojn por la kurento.

Simeon trarigardis la ĉambrojn. Sur la dua etaĝo estis Sjarov, la ĉefo de la laboristoj. Sjarov, kvindekjara viro, malalta, sed forta kun nigraj liparoj kaj ŝtalkoloraj okuloj, diris al Simeon kio ankoraŭ necesas por la laboro. Simeon detale trarigardis ĉion. La hotelo devos esti luksa kaj tre moderna. En la ĉambroj devos esti belegaj pejzaĝoj, pentritaj de famaj pentristoj.

Kontenta kaj en bona humoro Simeon iris el la hotelo kaj li decidis iom promenadi en la montaro. Ja, la tago estis tre agrabla.

"Ĉiam mi veturas per aŭto kaj mi dikiĝis – meditis

Simeon. – Mi devas pli multe piediri." Spirante la freŝan matenan aeron li ekiris al la montaro. Post duonhoro nerimarkeble li eniris la arbaron. Ne tre rapide li pli kaj pli eniris la densan kaj malluman arbaron. Ĉe dika kverko li haltis por iom ripozi. Li levis kapon al la ĉielo kaj vidis grizajn nubojn. La vento iĝis pli forta. Eble baldaŭ ekpluvos, supozis Simeon. Ja, ordinare en la montaro la vetero rapide ŝanĝiĝas. Estas suno kaj poste subita pluvo. La nuboj rapide iĝis pli kaj pli densaj. La arbaro dronis en mallumo. Simeon surhavis maldikan someran jakon kaj tuj li ekiris reen. Subite torente ekpluvis. Blindiga fulmo trančis la nubojn kaj forta tondro skuis la arbaron. Simeon ektremis. Tion li ne atendis. Li rapidigis la paŝojn, sed maltrafis la padon al la urbo. Li haltis, ĉirkaŭrigardis. Pluvis torente. La altaj arboj staris ĉirkaŭ li kiel timigaj monstroj. La fulmoj pikis la ĉielon kiel akraj glavoj, la tondroj surdigis lin. Simeon ekmarŝis pli rapide, sed al kiu direkto – li ne sciis. Li ne povis diveni ĉu Verdograd estas norde aŭ oriente. En la malluma densa arbaro li ne orientiĝis. Neniam antaŭe Simeon vagis sola en arbaro. Foje li aŭdis, ke musko estas je la norda flanko de la arboj, sed nun li ne povis detale trarigardi la arbojn. Obsedis lin teruro. La timo kiel vila besteto komencis rampi en lia stomako. La pluvo malsekigis lin de la kapo ĝis la piedoj. Malsekaj estis la jako, la pantalono, la ŝuoj eĉ la ŝtrumpoj. La vento iĝis pli kja pli forta. Simeon tremis, sed li ne certis ĉu pro malvarmo aŭ pro timo. Li elprenis la poŝtelefonon kaj telefonis al Sjarov.

-Sjarov – diris li. – Mi promenadis en la arbaro, sed maltrafis la vojon al la urbo. Bonvolu veni serĉi min. Mi ne scias kie ĝuste mi estas.

Sjarov promesis, ke tuj li kaj kelkaj aliaj viroj ekiros serĉi lin.

"Tamen ĉu ili trovos min? – meditis maltrankvile Simeon. – Ja, mi ne povas diri al ili kie ĝuste mi troviĝas."

Neniam Simeon estis en simila terura situacio. Pli bone, ke mi daŭrigu marŝi – decidis li. Se mi staros, certe mi malvarmumos. Li ĉirkaŭrigardis kaj denove rapide ekmarŝis tra arbustoj, veproj, descendis sur ŝtonaj krutaĵoj. Li laciĝis, ne havis plu fortojn. Ege kolera li estis al si mem. Kial mi ekiris sola promeni en la arbaro? La pluvo daŭris kaj ĝi vipis lin kvazaŭ per knutoj.

La poŝtelefono eksonoris. Sjarov diris, ke li kun kelkaj ĉasistoj el la urbo ekiris serĉi lin. Simeon dankis al li, tamen la telefonalvoko de Sjarov ne trankviligis lin. Li marŝis plu, stumblis, falis, ekstaris. Subite li rimarkis padon. Tio estis la savo. Tio estis vera Dia helpo. Certe la pado gvidas al homloko. Post nelonge li iris el la arbaro sur vastan herbejon. Tie Simeon vidis konstruaĵon kaj ĝoje li ekkuris al ĝi. Rapide li trapasis la herbejon kaj ekstaris antaŭ granda ligna pordo. Estis monaĥejo. Kiel frenezulo Simeon komencis frapi per mano je la monaĥeja pordo. Post iom da tempo aŭdiĝis paŝoj. Monaĥo malfermis la pordon.

-Mi perdiĝis en la arbaro – diris Simeon. – Dank' al Dio mi trafis la monaĥejon.

-Bonan venon – salutis lin la monaĥo. – Bonvolu.

Simeon eniris la korton de la monaĥejo.

-Mi estas monaĥo Vikentij.

-Simeon. Kiu estas la nomo de la monaĥejo?

-Sankta Iliaj – respondis Vikentij.

La monaĥo kaj Simeon eniris vastan ejon, verŝajne la monaĥejan manĝejon.

-Sidiĝu – diris Vikentij – varmigu vin. Mi portos vestojn. Viaj estas tute malsekaj.

-Dankon. Ĉu Verdograd estas proksime?

-Se oni irus tra la arbaro, post unu horo oni estos en Verdograd. Tamen laŭ la ŝoseo ĝis tie estas dekkvin kilometroj.

Simeon elprenis la poŝtelefonon kaj telefonis al Sjarov.

-Sjarov, mi estas en monaĥejo Sankta Ilia. Bonvolu veni

per aŭto veturigi min en la urbon.

-Mi tuj ekveturos – respondis Sjarov.

Vikentij portis al Simeon pantalonon, ĉemizon, veŝton. Simeon komencis travestiĝi. Vikentij verŝis brandon en glaseton kaj donis ĝin al Simeon.

-La brando iom varmigos vin – diris Vikentij.

Simeon tuj fortrinkis ĝin. En la manĝejo, longa, sed mallarĝa, estis ligna tablo, kelkaj malnovaj seĝoj, en la angulo – fajrujo, sur la dekstra muro – breto, sur kiu estis kaseroloj, teleroj, tasetoj…

-Kiom da monaĥoj estas en la monaĥejo? – demandis Simeon.

-Kvin – respondis Vikentij. – Nun nur mi kaj avo Angelarij, la monaĥestro, estas ĉi tie. Avo Angelarij malsanas kaj kuŝas en sia ĉelo. Aliaj monaĥoj iris en la urbon aĉeti produktojn.

Simeon rigardis Vikentij, kiu verŝajne estis kvardekjara. Tre maldika, Vikentij havis kaviĝintajn okulojn kaj pro la granda nigra barbo li aspektis pli maljuna. Lia nigra satano estis malnova kun flikaĵoj kaj elfrotitaj manikoj. La monaĥo surhavis ne ŝuojn, sed galoŝojn.

-Tre mizere vi vivas ĉi tie – rimarkis Simeon. – Ne estas facile loĝi en monaĥejo. Ja, ĉi tie eĉ kurento ne estas.

-Ne etas kurento. Ni uzas kandelojn – diris Vikentij.

-Kiel eblas loĝi ĉi tie! – miris Simeon. – Kion vi bezonas? Mi deziras fari donacon al monaĥejo.

-Ni bezonas nenion - diris Vikentij.

-Ĉu nenion – ne komprenis Simeon.

-Ni estas provizore ĉi tie – diris Vikentij.

-Provizore? – Simeon rigardis lin mire.

-Jes, ni ĉiuj estas provizore sur Tero – klarigis Vikentij.

"Provizore sur Tero – ripetis al si mem Simeon. – Verŝajne la monaĥo pravis. Antaŭ unu horo Simeon ne sciis ĉu mortos aŭ savos sin. Jes. Ĉiuj homoj estas provizore sur Tero. Kial mi bezonis hotelon, restoracion, danctrinkejon... - demandis sin Simeon."

Li apogis brakojn sur la malnova ligna tablo kaj rigardis tra la eta fenestro de la manĝejo. Ekstere jam ne pluvis. La vento forpelis la grizajn nubojn kiel lupo forpelanta ŝafan gregon. La suno denove ekbrilis kaj ĉio: arboj, arbustoj, herebejo estis lavitaj de la pluvo.

수수께끼 같은 그림자

이 층짜리 정신병원 건물은 키가 크고 오래된 느릅나무 아래 있다.

거기에 꽃과 의자가 있는 작은 공원이 있다.

건물 뒤에 여러 가지 놀랄만한 전설이 있는 '성 요한' 수도원이 있다.

수도원 마당에 치료하는 물이 있는 샘이 밤낮으로 살랑 살랑 소리 낸다.

정신병원과 수도원 가까이에 '이스타르'라는 큰 강이 흐른다.

여기 둥근 계곡의 강은 크지만, 마치 강이 굽어지고 가파른 바위가 있는 산 사이로 흐르기 전에 쉬는 것처럼 조용히 흐른다.

정신병원에는 정신병자가 많지 않다.

낮에는 공원 의자에 앉아있거나 강가에서 산책한다.

그들 중에는 계속해서 박해받는 정치적인 이유로 거기 있다고 꾸준히 주장하는 중년의 남자가 있다.

다른 정신병자는 중요한 국가적 임무를 가지고 외국에서 있는데, 거기에서 사람들이 죽이려고 해 살리려고 국가 중요한 사람들이 이곳 정신병원에 숨겼다고 이야기한다.

어떤 정신병자는 유명한 과학자인데 사람들이 과학적인 발명품을 훔치고 누더기처럼 이곳에 버렸다고 설명했다.

정신병원에는 여자도 남자도 있다.

여자들은 더 말이 없는 편인데 대략 50세의 여왕 마르고
는 세상에서 가장 사랑받던 여자라고 지치지 않고 이야
기했다. 수많은 남자가 그 여자를 사랑했다. 신기하게 말
하는 이야기들이 절대 중복되지 않는다.

그러나 가장 수수께끼 같은 정신병자는 시시다.

아무도 본 이름을 모른다.

마르고 여왕과 반대로 시시는 전혀 말하지 않았다.

20살의 매우 아름다운 시시는 무거운 바다 파도같이 금
발이고 보라색 눈, 매끄러운 아랍 민족의 얼굴을 가졌다.

아침부터 저녁까지 움직이지 않고 앉아서 방의 하얀 벽
만 쳐다본다.

날씨가 아름다우면 공원에서 하늘을 계속 쳐다보고 있어
대리석 조각을 닮았다.

의사와 간호사는 매우 주의해서 돌본다.

정말로 시시는 항상 새하얀 옷을 입고 모든 옷이 새롭고
유행에 맞았는데 친척이 정신병원에 많은 돈을 지급한
덕분이다.

밤에 정신병원의 누구도 폭행하지 않도록 혼자 방에 있
으니 문을 잠근다.

그러나 어느 밤 정신병원에 당황스러운 일이 생겼다.

조용한 밤이었다.

건물, 마당, 수도원은 조용함에 잠겼다.

은빛 쟁반처럼 달은 높은 느릅나무 위에 걸려 있고 달빛
은 희고 수수께끼 같다.

간혹 어디서 올빼미가 갑자기 크게 울었다.

뒤에 다시 모든 것이 조용해졌다.

강에서는 단조로운 물 흐르는 소리가 났다.

당직 의사 펜코브는 사무실에 앉아 신문을 읽었다.

옆 의자에 간호사 네이코바가 앉아서 어떤 소설을 읽고 있다.

갑자기 누가 무섭게 소리치기 시작했다.

의사 펜코브와 네이코바는 즉시 어두운 복도로 달려갔다.

2층으로 서둘러 올라가니 복도 끝에 정신병자 중 한 명인 스타노가 누워있다.

두려움 때문에 떨면서 소리쳤다.

무슨 일이냐고 물었지만 아무 대답도 하지 않았다.

단지 손으로 복도의 다른 쪽을 가리켰다.

펜코브와 네이코바는 마치 걷지 않고 공중에 떠 있는 하얀 그림자를 보았다.

잠시 뒤에 그림자는 사라지고 어느 방에 들어갔는지 아침 구름처럼 사라졌는지 둘 다 알 수 없다.

펜코브와 네이코바는 주의해서 복도를 살펴보고 방마다 들어갔지만 하얀 목도리의 남자인지 여자인지는 어디에서도 찾을 수 없었다.

스타노를 돕기 위해 돌아왔는데 이 순간 정신병원 마당에서 나오는 무서운 다른 소리가 들렸다.

펜코브와 네이코바는 밖으로 나갔다.

거기에 정신병원 환경미화원인 키나 아줌마가 건물의 지

붕을 보면서 소리 질렀다.

의사와 간호사는 머리를 위로 들었다.

지붕 차양 위에서 시시가 천천히 조용하게 산책하고 있다. '왜 지붕 위에 있지?' 펜코브와 네이코바는 움직이지 않고 쳐다보았다. 얼마 뒤 시시는 사라졌다.

의사와 간호사는 어떻게 시시가 지붕 위로 올라갔는지 알 수 없다.

모든 것이 정말 이상하다.

마치 기적의 힘이 위로 올린 것 같다.

다음날 뭔가 전혀 기대하지 않은 일이 생겼다.

시시가 말을 했다.

정말로 말하는 것이 정확한 표현은 아니다.

왜냐하면, 시시는 단지 요술 거는 단어를 반복하듯이 정말 이상하게 발음하는 한 가지 문장뿐이다.

"곧 우리는 모두 자유, 끝없이 자유로울 것이다."

마치 날 준비가 된 듯 하늘로 팔을 들면서 시시가 말했다.

정신병자들은 전혀 시시의 말에 대해 흥미가 없지만 펜코브 의사는 주의 깊게 봤다.

시시의 크고 보랏빛 눈은 특별한 빛을 본 듯 보였다.

의사는 물었다.

'천사의 얼굴을 한 이 아름다운 아가씨가 어떻게 미칠 수 있는가?

정말로 우리는 사람의 영혼과 뇌에 대해 거의 모른다.'

의사는 진심으로 시시를 돕고 싶었지만 불가능했다.

어느 밤 6월 중순에 비가 내렸다.

오랫동안 점점 더 거세게 비가 내렸다.

3일간 비가 멈추지 않았다. 강물이 정신병원으로 넘쳤다.

모든 것, 마당, 공원, 오솔길이 물에 잠겼다.

건물은 바다에 있는 섬과 같다.

정신병자들은 1층에서 2층으로 옮겼다.

펜코브 의사는 전화해서 도움을 청했다.

왜냐하면, 정신병원에서 곧 먹을 거, 마실 물, 치료제들이 없어진다. 두려워하며 정신병자들은 창으로 비를 쳐다본다.

군용차량으로 군인들이 왔다.

범람한 건물에서 정신병자들을 꺼내 구했다.

갑자기 네이코바가 말했다.

"시시를 잊었어요. 2층 방에 혼자 있어요."

사람들이 시시를 데리러 곧 갔지만, 방에 없었다.

의사 펜코브는 찾았지만, 어디에도 없었다.

창 가운데 하나를 통해 매우 크고 빠르게 위협하는 강을 볼 수 있는데, 물 위에서 조용히 걷고 있는 시시를 보았다.

놀라서 시시가 강 위에서 산책한다고 믿지 않았다.

의사 펜코브는 시시의 말을 기억했다.

"곧 우리는 모두 자유, 끝없이 자유로울 것이다."

시시는 이미 자유롭다.

LA ENIGMA SILUETO

La duetaĝa konstruaĵo de la frenezulejo staris sub altaj multjaraj ulmoj. Tie estis eta parko kun floroj kaj benkoj. Malantaŭ la konstruaĵo troviĝis la monaĥejo "Sankta Johano", pri kiu oni rakontis plurajn mirindajn legendojn. En la korto de la monaĥejo tage kaj nokte susuris fonto, kies akvo estis kuraciga. Proksime al la frenezulejo kaj la monaĥejo fluis la granda rivero Istar. Ĉi tie, en la rondvalo, la rivero estis larĝa, fluis kviete, kvazaŭ ĝi ripozis antaŭ ekflui en la intermonton, kie estis riverkurbiĝoj kaj altaj krutaj rokoj.

En la frenezulejo ne estis multaj frenezuloj. Tage ili sidis sur la benkoj en la parko aŭ promenadis ĉe la bordo de la rivero. Inter ili mezaĝa viro konstante asertis, ke li estas tie pro politikaj kialoj, ke oni daŭre persekutas lin. Alia frenezulo rakontis, ke li havis gravan ŝtatan mision eksterlande, kie oni provis murdi lin kaj por savi lin, la ŝtataj gravuloj decidis kaŝi lin ĉi tie, en la frenezulejo. Iu frenezulo klarigis, ke li estas eminenta sciencisto, sed oni ŝtelis lian sciencan inventon kaj ĵetis lin kiel ĉifonon ĉi tie.

En la frenezulejo estis kaj viroj, kaj virinoj. La virinoj ŝajnis pli silentemaj, sed Reĝino Margo, ĉirkaŭ kvindekjara virino, senlace rakontis, ke ŝi estas la plej dezirata virino en la mondo. Sennombraj viroj amis ŝin. Strange la historioj, kiujn ŝi rakontis, neniam ripetiĝis. Tamen la plej enigma frenezulino estis Sisi. Neniu sciis ŝian veran nomon. Spite al Reĝino Margo, Sisi tute ne parolis. Dudekjara, neordinare bela, Sisi havis blondan hararon, similan al pezaj maraj ondoj, profundajn violkolorajn okulojn kaj glatan beduinan vizaĝon. De matene ĝis vespere Sisi sidis senmova, rigardanta la blankan muron de la ĉambro. Kiam la vetero estis bela, ŝi estis en la parko, kontempladis la ĉielon kaj ŝi similis al marmora statuo.

La kuracistoj kaj la flegistinoj tre atente zorgis pri Sisi. Verŝajne ŝiaj parencoj multe pagis al la frenezulejo, ĉar Sisi ĉiam surhavis puran blankan robon kaj ĉiuj ŝiaj vestoj estis novaj kaj modaj. Nokte oni ŝlosis ŝin sola en ĉambro, por ke iu el la frenezuloj ne perfortu ŝin.

Tamen iun nokton en la frenezulejo okazis paniko. Estis trankvila nokto. La konstruaĵo, la korto, la monaĥejo dronis en silento. La luno kiel arĝenta disko pendis super la altaj ulmoj kaj ĝia lumo estis pala kaj enigma. Nur de tempo al tempo ie subite ekkriegis strigo. Poste denove ĉio silentiĝis. De la rivero alflugis monotona susuro.

La deĵoranta doktoro Penkov sidis ĉe la skribotablo en la

kabineto kaj legis ĵurnalon. Sur seĝo ĉe li sidis flegistino Nejkova, kiu legis ian romanon. Subite iu komencis terure krii. Doktoro Penkov kaj Nejkova tuj ekkuris al la malluma kordoro. Rapidege ili iris sur la duan etaĝon, kie je la fino de la kordoro kuŝis Stanoj, iu el la frenezuloj. Tremanta pro timo li kriegis. Ili demandis lin kio okazis, sed Stanoj nenion respondis. Li nur fingre montris al alia flanko de la koridoro. Tie Penkov kaj Nejkova vidis blankan silueton, kiu kvazaŭ ne paŝis, sed ŝvebis en la aero. Nur post sekundo la silueto malaperis kaj ambaŭ ne komprenis ĉu ĝi eniris iun ĉambron aŭ vaporiĝis kiel matena nebulo. Penkov kaj Nejkova atente trarigardis la koridoron, ili eniris en la ĉambrojn, sed nenie ili trovis inon aŭ viron en blanka pelerino.

Ili revenis al Stanoj por helpi lin, sed en tiu ĉi momento aŭdiĝis alia terura krio, kiu venis el la korto de la frenezulejo. Penkov kaj Nejkova ekkuris eksteren. Tie onjo Kina, la purigistino en la frenezulejo, kriis, rigardanta la tegmenton de la konstruaĵo. La doktoro kaj la flegistino levis kapojn supren. Sur la tegmentviziero promenis Sisi, malrapide kaj trankvile. Kial ŝi estis sur la tegmento? Doktoro Penkov kaj Nejkova staris senmovaj kaj rigardis ŝin. Postnelonge Sisis malaperis. La doktoro kaj la flegistino ne komprenis kiel Sisi iris sur la tegmenton.

Ĉio estis tre strange. Kvazaŭ mirakla forto levigis ŝin alten.

La sekvan tagon okazis io tute neatendita – Sisi ekparolis. Verŝajne ekparoli ne estas preciza esprimo, ĉar Sisi diris nur unu frazon, kiun ŝi prononcis tre strange, kvazaŭ ŝi ripetis magivorton:

-Baldaŭ ĉiuj ni estos liberaj, senlime liberaj –diris Sisi levante brakojn al la ĉielo, kvazaŭ preta ekflugi.

La frenezuloj tamen tute ne interesiĝis pri la vortoj de Sisi, sed doktoro Penkov atente rigardis ŝin. Ŝajnis al li, ke en la grandaj violkoloraj okuloj de Sisi videblas neordinara lumo. La doktoro demandis sin: "Kiel eblas, ke tiu ĉi bela junulino kun anĝela vizaĝo estas freneza? Vere ni tre malmulte scias pri la homa animo kaj homa cerbo."

La doktoro sincere deziris helpi al Sisi, sed tio ne eblis.

Iun nokton, en la mezo de junio, ekpluvis. Pluvis longe kaj pli kaj pli forte. Tri tagojn ne ĉesis pluvi. La rivero inundis la frenezulejon. Ĉio dronis en akvo: la korto, la parko, la aleoj. La konstruaĵo similis al ŝipo en maro. Oni komencis translokigi la frenezulojn de la unua al la dua etaĝo. Doktoro Penkov telefonis kaj petis helpon, ĉar baldaŭ en la frenezulejo ne estos nutraĵo, trinkakvo, kuraciloj…Timigitaj la frenezuloj rigardis tra la fenestroj la pluvon.

Venis soldatoj per armeaj veturiloj. Ili eligis la frenezulojn el la inundita konstruaĵo kaj savis ilin. Subite Nejkova diris:

-Ni forgesis Sisi. Ŝi estas sola en ĉambro sur la dua etaĝo.

Oni tuj iris venigi Sisi, tamen ŝi ne estis en la ĉambro. Doktoro Penkov serĉis ŝin, sed nenie li trovis ŝin. Li rigardis tra unu el la fenestroj, de kie videblis la rivero, grandega, rapidega, minaca, kaj doktoro Penkov vidis, ke en la rivero, sur la akvo, trankvile paŝas Sisi. Li miris kaj ne kredis, ke Sisi promenas sur la rivero. Doktoro Penkov rememoris ŝiajn vortojn: "Baldaŭ ĉiuj ni estos liberaj, senlime liberaj."

Sisi jam estis libera.

고귀한 기사

바실은 거울 앞에서 한없이 행복하게 서 있다.

문지기 제복이 마음에 든다.

바지는 회색이고 크고 와이셔츠와 웃옷은 모두 회색이다.

웃옷은 노란 단추가 있고 모자는 차양이 있다.

아직 몇 분간 거울을 보고 뒤에 문지기 일을 하는 식당으로 갔다.

식당은 가까이에 있어 걸어갔다.

지금은 돈이 없지만, 저녁에 일이 끝나면 생길 것이다.

식당 주인은 돈을 줄 것이고 돌아오면서 바실은 빵, 소시지, 치즈. 맥주 한 병을 살 것이다.

맥주 생각이 웃게 만든다.

거리에서 사람들이 호기심을 가지고 바실을 쳐다본다.

정말 문지기 제복이 이상하게 보인다.

사람 중 누구는 빙긋 웃고 누구는 놀란다.

그러나 바실은 알아차리지 못한 듯했다.

오늘 일하기 시작해서 저녁에는 돈을 가진다는 것이 매우 중요했다.

오랫동안 이 순간을 기다렸다.

몇 년 전 삶은 재앙이었기에 지금은 과거를 기억하고 싶지 않다.

오늘 해가 빛나는 날에 식당 문 앞에 서서 지나가는 사람들에게 고개 숙여 인사하고 아주 좋은 포도주와 맥주를 맛있게 먹고 마시기 위해 '고귀한 기사' 식당 안으로 들어오도록 안내할 것이다.

오늘 처음 일하는 날이라 여러 번 거울을 보고 좋은 배우처럼 식당으로 들어오라고 안내하는 말을 자꾸만 되풀이했다.

맛있는 먹을 것과 아주 좋은 포도주와 맥주에 대한 몇 가지 속담을 외우기까지 했다.

잊어버리지 않으려고 속담을 소리 내 여러 번 말했다.

태도는 진지하고 발음은 분명했다.

도시에서 가장 훌륭한 문지기가 되리라고 확신했다.

정말 지금껏 모든 것을 열심히 진지하게 했다.

거의 20년간 회사에서 기록원이었지만 갑자기 해고당했다.

사장은 이제는 기록원이 필요하지 않다고 말했다.

그때 부인 다리나는 이혼을 결심했다.

정말 가족은 충분한 돈이 없었다.

다리나는 꾸준히 다른 남자들은 많은 급여를 받는데 남편의 급여는 보잘것없다고 되풀이했다.

마침내 이혼했다.

다리나와 딸 로시는 시골로 가서 둘이 다리나 엄마 집에서 살기 시작했다.

다리나에게 화내지 않았다.

정말 모두 사람은 자신의 행복을 찾을 권리가 있다.

정말 바실은 슬펐다.

그때 다른 불행한 일이 생겼다.

바실의 엄마가 아팠다.

엄마의 치료 약을 위해 돈이 필요했다.

엄마의 연금은 적어서 전혀 충분하지 않았다.

바실은 일을 찾았지만 성공하지 못했다.

엄마는 점점 더 상태가 나빠졌다.

정말로 바실은 가족 생계를 꾸리는데 능력이 없다고 다리나가 한 말이 맞았다.

바실은 엄마를 사랑하고 도왔다.

바실이 어렸을 때 엄마는 정말 많이 일하신 것을 기억했다.

엄마는 회계원이었지만 가끔 집에서 자정 때까지 일했다.

그때 바실은 계산을 도와드렸다.

지금은 엄마가 매우 아파서 바실을 알아볼 수 있을까 아니면 못 할까 믿을 수 없다.

엄마가 집의 창으로 숟가락, 포크, 칼을 던질 때 이미 너무 많이 아프다는 것을 알았다.

엄마는 정신병원에 입원해야 했다.

바실은 가끔 그곳으로 찾아갔다.

한 번은 주치의가 사무실로 불러 갔더니 말했다.

"드라고이노브 씨, 어머니를 치료하기 위해 가능한 모든 것을 했어요. 그러나 돈이 필요하다는 것을 잘 알겠지요."

그러나 바실은 일하지 않아 돈이 없었다.

엄마는 어느 11월 추운 비 오는 날 돌아가셨다.

바실은 계속해서 일을 찾았다.

이틀 전 거리에서 예전 친구를 만났다.

"안녕. 바실." 친구가 말했다.

"오랜만이네." 바실은 당황해서 쳐다보았다.

"어떻게 지내니?"

사실은 오래전부터 일이 없다고 말했다.

"우리가 모두 학생이었을 때 너는 연극을 했잖아.

너는 돈키호테 연극에서 산초 판자였지."

친구가 말했다.

"그래." 바실이 주저하듯 더듬거렸다.

"그러나 지금은 돈키호테를 매우 닮았어.

키 크고, 수염 있고, 말랐어.

얼마 전에 '고귀한 기사' 식당을 샀어.

문지기가 필요해.

너는 아주 좋은 문지기가 될 거야.

우리 식당에서 문지기 하고 싶지 않니?

좋은 급여를 줄게." 놀라서 바실은 쳐다보았다.

"내일 와서 바로 일을 시작할 수 있어."

'마침내 좋은 일자리가 생겼어.'

바실은 혼자 말했다.

문지기 제복은 예쁘고, 새롭고, 기뻤다.

바실은 식당 문 앞에 섰다. 오후 5시 반이다.

가장 좋은 시간이다. 사람들은 일터에서 나온다.

식당 앞 보도에는 젊은이, 늙은이가 걸어갔다.

바실은 서서 활기차게 되풀이했다.

'존경하는 신사 숙녀 여러분, 식당 '고귀한 기사'로 들어

오시기 바랍니다.

여기에서 맛있는 식사를 하시고 좋은 포도주와 맥주를 마시기 원합니다.'

사람들은 지나가면서 전혀 바실을 쳐다보지 않았다.

일부는 놀리고 싫어하며 쳐다보았다.

누구는 미쳤다고 생각했다.

그러나 바실은 계속 되풀이하며 지나가는 사람들을 식당으로 안내했다.

'오세요. 어서 들어오세요.'

갑자기 앞에 어린 여자아이가 나타났다.

딸 로시였다.

"아빠!" 딸이 말했다.

"왜 창피하게 그러세요?

정말 사람들이 놀리잖아요."

바실의 웃음이 사라졌다.

혼란스럽다. 뜻하지 않게 문지기 모자를 벗고 조용히 말했다.

"로시!" 그러나 딸은 빠르게 멀리 뛰어갔다.

"LA NOBLA KAVALIRO"

Vasil staris antaŭ la spegulo senlime feliĉa. La pordista uniformo plaĉis al li. La pantalono estis grizkolora, larĝa, la ĉemizo kaj la jako same estis grizkoloraj. La jako estis kun flavaj butonoj, la ĉapelo – kun viziero. Ankoraŭ kelkajn minitojn Vasil rigardis sin en la spegulo kaj poste ekiris al la restoracio, kie li devis esti pordisto.

La restoracio troviĝis proksime kaj Vasil piediris. Nun li ne havis monon, sed vespere, post la laboro, li havos. La posedanto de la restoracio pagos al li kaj reveninte Vasil aĉetos panon, kolbason, fromaĝon kaj eĉ botelon da biero. La penso pri la biero igis lin ekrideti.

Sur la strato la homoj scivole rigardis Vasil. Verŝajne lia pordista uniformo aspektis stranga. Iuj el la homoj ridetis, aliaj – miris. Tamen Vasil ŝajnigis, ke ne rimarkas ilin. Hodiaŭ por li la plej gravis, ke li komencos labori kaj vespere li havos monon.

Longe Vasil atendis tiun ĉi momenton. Antaŭ kelkaj jaroj lia vivo katastrofis, sed nun li ne deziris rememori la pasintecon. En la hodiaŭa suna tago li staros antaŭ la restoracio, klinos sin al la homoj, kiuj preterpasos kaj invitos ilin eniri la restoracion "La nobla kavaliro" por bonguste manĝi kaj trinki bonegajn vinon aŭ bieron.

Por hodiaŭ, lia unua labortago, Vasil kelkfoje rigardis sin en la spegulo kaj kiel bona aktoro ripetadis la vortojn, per kiuj li invitos la homojn eniri la restoracion. Li eĉ parkerigis kelkajn proverbojn pri bongustaj manĝaĵoj kaj bonegaj vinoj kaj bieroj. Vasil plurfoje voĉe diris la proverbojn, por ne forgesi ilin. Lia mieno estis serioza kaj lia prononco klara. Li certis, ke li estos la plej bona pordisto en la urbo. Ja, ĝis nun Vasil ĉion faris diligente kaj serioze. Preskaŭ dudek jarojn li estis arkivisto en komerca intrepreno, sed subite oni maldungis lin. La ĉefo opiniis, ke oni ne plu bezonas arkiviston. Ĝuste tiam Darina, la edzino de Vasil, decidis divorci. Jes, ilia familio ne havis sufiĉe da mono kaj Darina konstante ripetis, ke aliaj viroj havas grandajn salajrojn kaj la salajro de Vasil estas mizera. Fin-fine ili divorcis. Darina kaj Rosi, la filino, ekveturis provincen kaj duope ekloĝis ĉe la patrino de Darina.

Vasil ne koleriĝis al Darina. Ja, ĉiu rajtas serĉi sian feliĉon. Vere Vasil tristis. Tiam okazis alia malagrablaĵo. La patrino de Vasil malsaniĝis. Necesis mono por kuraciloj de la patrino. Ŝia pensio estis malalta kaj tute ne sufiĉis. Vasil serĉis laboron, sed malsukcese. La patrino pli kaj pli malbone fartis. Verŝajne Darina pravis, ke Vasil ne kapablas vivteni familion. Vasil amis la patrinon, helpis ŝin. Li rememoris, ke kiam li estis lernanto, la patrino tre multe laboris. Ŝi estis kontistino kaj ofte ŝi laboris hejme ĝis noktomezo. Tam Vasil helpis ŝin pri la kalkulado. Nun lia patrino estis tre malsana kaj Vasil ne certis ĉu ŝi rekonas lin aŭ ne.

Kiam la patrino komencis ĵeti tra la fenestro de la domo kulerojn, forkojn, tranĉilojn, Vasil komprenis, ke ŝi jam estas tre tre malsana. La patrino devis esti en psikiatria hospitalo. Vasil ofte vizitis ŝin tie. Foje la ĉefkuracisto invitis lin en sian kabineton kaj diris:

-Sinjoro Dragojnov, ni faras ĉion eblan por kuraci vian patrinon, sed vi bone komprenas, ke necesas mono.

Tamen Vasil ne laboris kaj ne havis monon. La patrino mortis en iu novembra malvarma pluva tago.

Vasil daŭre serĉis laboron. Kaj antaŭ du tagoj sur la strato li vidis sian iaman amikon.

-Salution, Vasil, - diris la amiko. – Delonge mi ne vidis vin.

Vasil alrigardis lin embarasita.

-Kiel vi fartas?

Vasil diris, ke delonge li ne laboras.

-Kiam ni estis samlernantoj – rememoris la amiko – vi ludis en teatraĵo. Vi estis Sanĉo Pansa en la teatraĵo "Don Kihot".

-Jes – tramurmuris Vasil

-Tamen nun vi tre similas al Don Kihot. Vi estas alta, magra kun barbo. Antaŭnelonge mi aĉetis la restoracion "La nobla kavaliro" kaj mi bezonas pordiston. Vi estos la bonega pordisto. Ĉu vi deziras esti pordisto en mia restoracio? Mi pagos al vi bonan salajron.

Vasil rigardis lin mire.

-Venu morgaŭ kaj vi tuj komencos labori.

"Fin-fine mi havos laboron, diris al si mem Vasil." La pordista uniformo estis bela nova kaj li ĝojis.

Vasil ekstaris antaŭ la pordo de la restoracio. Estis kvina kaj duono posttagmeze. La plej bona tempo. La homoj eliris el la laborejoj. Sur la trotuaro, antaŭ la restoracio, pasis junuloj kaj maljunuloj. Vasil staris kaj vigle ripetis:

-Estimataj gesinjoroj, bonvolu eniri la restoracion "La bona kavaliro". Ĉi tie vi manĝos bongustajn manĝaĵojn kaj trinkos bonegajn vonojn kaj bierojn.

La homoj pasis kaj ili tute ne rigardis Vasil. Iuj el ili primokis lin, aliaj rigardis lin tede. Iuj eble opiniis, ke li estas freneza.

Tamen Vasil daŭre ripetis la frazon kaj invitis la preterpasantojn en la restoracion.

-Bonvolu, bonvolu eniri.

Subite antaŭ li ekstaris knabino. Vasil alrigardis ŝin. Estis Rosi, la filino.

-Paĉjo – diris ŝi – Kial vi humiliĝas? Ja, oni primokas vin.

La rideto de Vasil malaperis. Li konfuziĝis. Nevole li demetis la pordistan ĉapelon kaj mallaŭte diris:

-Rosi.

Tamen la filino rapide forkuris.

배

베린은 강 위에 떠 있는 배를 보았다.

마치 안개에서 헤엄치듯 한다.

흐름이 바뀌고 강가로 향했다.

베린은 강으로 들어가 배를 강가로 끌었다.

주의해서 자세히 살폈다.

멀리서 볼 때는 배가 오래된 것처럼 보였으나, 지금 보니 거의 새것이다.

배 안에 한 개의 노와 고기 잡는 던지는 그물이 있다.

'무슨 일이지?' 베린은 궁금했다.

배의 주인이 강에 빠져 물 흐름이 이곳으로 배를 데려왔을까?

며칠 전 날씨가 매우 나빴다. 거세게 비가 왔다.

세찬 바람이 있어 분명 사고가 있었다.

오래전부터 베린은 배를 갖고 싶었다.

지금 운명이 다시 고기 잡을 수 있도록 거의 새로운 배를 선물했다.

강가 수풀에 배를 숨기고 어떤 친구가 어디서 이 아름다운 배가 생겼느냐고 묻는다면 아들 파벨이 선물로 주었다고 말하리라고 마음먹었다.

모두 파벨이 도시에 살며 부유한 상인이고 돈이 많은 것을 안다. 베린은 파벨에게 여러 번 배를 사달라고 부탁했으나 파벨은 항상 말했다.

"나이가 드셔서 배가 필요 없어요. 이제는 고기 잡지 마세요. 게다가 아프시니 더 많이 쉬어야 해요." 그러나 70세 임에도 불구하고 베린은 잘 지내며 고기 잡으리라 마음먹었다.

평생 고기잡이였고 고기 잡는 데는 배가 필요하고, 여기에 혼자 배가 왔다.

몇 년 전에 배를 가졌지만, 예전부터 고장이 나 이미 고기 잡는데 적당하지 않다.

지금 기뻐하며 베린의 피는 따뜻해지고 아무도 알아차리지 못하게 먼저 배를 칠하리라 마음먹었다.

베린은 집으로 돌아와 옷을 갈아입었다.

왜냐하면, 배를 강가로 끌어올 때 강에 들어가 바지가 젖었기 때문이다.

그리고 몸을 따뜻하게 하려고 차를 끓였다.

차가 준비되자 탁자에 앉아서 천천히 마시기 시작했다.

마시면서 계속해서 배에 대해 생각했다.

아름다운 배가 매우 만족스럽다.

몇 년 전 베린은 마을에서 가장 좋은 고기잡이였다.

고기잡이는 일이 아니라 예술이었다.

경험이 많아 대구, 메기 같은 큰 고기를 잡았다.

베린은 수다스럽지는 않지만, 지금은 이미 아름다운 배를 가지고 있다고 누군가에게 말할 필요를 느꼈다.

그래서 집을 나와 친구와 자주 만나는 찻집으로 갔다.

마을 광장 옆 찻집은 거의 20개 탁자가 있는 넓은 곳이다.

여기에는 항상 마시며 이야기하는 남자들이 있다.

베린은 탁자 중 한 개, 친구 보네와 밀레가 앉은 곳에 같이 앉았다.

그들은 고기와 고기 잡는 것에 관해 이야기했다.

정말 여기 마크레스 마을에서 주요한 생계수단은 고기잡이다.

찻집 문이 열리고 남자와 여자 둘이 들어왔다.

곧 마크레스 주민이 아닌 것을 알 수 있다.

남자는 늙었고 여자는 젊었다.

정말 아빠와 딸로 보였다.

베린이 친구와 함께 앉은 탁자 옆의 탁자에 앉았다.

늙은이가 종업원 넬리를 불러 점심을 주문했다. 20분 뒤 넬리는 생선 수프와 튀긴 감자와 함께 구운 잉어를 가져왔다.

먹기 전에 늙은이는 넬리에게 읍사무소가 어디에 있느냐고 물었다.

"여기서 집을 사고 싶으세요?" 넬리가 물었다.

"아니요, 큰 걱정이 있어 왔어요."

늙은이가 대답했다.

넬리가 늙은이를 쳐다보았다.

"내 딸 욘카예요." 천천히 말했다.

"여기서 10km 떨어진 델레보 마을에서 왔어요.
일주일 전 내 사위이자, 딸의 남편 네이코가 고기 잡으러 배 타고 나가 돌아오지 않았어요.

일주일 내내 무슨 일이 일어났는지 몰라요.

경찰에 실종을 알렸지만 이미 많은 날 아무 소식도 없어요. 찾고 있다는 말만 해요. 딸은 울음을 그치지 않아요. 그래서 둘이서 찾으러 나섰어요.

정말로 강에 빠진 것 같아요.

강물이 강가로 데리고 올 거예요.

아마 누군가 사위나 배를 볼 거예요.

우리는 마을마다 돌아다니며 사람들에게 물었지만, 지금까지 누구도 본 사람이 없어요. 욘카는 아직 네이코가 살아서 아마도 어느 병원에 있을 거라고 희망해요."

늙은이는 조용해지더니 세게 기침하기 시작했다.

기침 소리는 심하고 천둥 치듯 했다.

손은 크고 굳은살이 박였고 얼굴은 말린 자두처럼 주름지고 눈은 매끄러운 강의 조약돌과 같다.

정말 65살 정도라 아직 고기잡이라고 베린은 짐작했다.

딸은 아마 30살 정도로 아름다운 여자지만 걱정 때문에 얼굴은 창백하고 올리브 같은 검은 눈 둘레는 분명 계속 울어서 어두운 그림자가 보인다.

지금도 똑같이 울자 아빠는 딸에게 말했다.

"울지 마라. 욘케. 여기 사람들이 뭔가를 안다면 반드시 말해 줄 거야."

늙은이는 보네, 밀레, 베린이 앉아있는 탁자로 몸을 돌리며 말했다.

"어르신들. 우연히 강에 빠진 남자에 대해 무언가를 알게 되면 마을 경찰에게 알려주세요."

다시 딸을 보고 딸을 안정시켰다.

"울지 마라. 욘케. 울지 마."

그러나 딸은 마치 듣지 않은 듯했다.

조용하게 울어 따뜻한 눈물이 올리브 닮은 아름다운 눈에서 작은 강물처럼 흐른다.

얼마 뒤에 아빠와 딸은 점심값을 지급하고 일어서서 '안녕히 계십시오' 말하고 떠났다.

베린은 그들 뒤를 쳐다보며 아직 젊은 여자의 눈물에 가득한 눈을 보는 듯했다.

'무슨 일이지?' 베린은 궁금했다.

분명 남자가 강에 빠졌다.

정말로 이제는 배가 필요하지 않지.

1시간 뒤 집으로 돌아왔다.

무언가를 하러 다음날 고기잡이를 위해 던지는 그물을 준비하려 했으나 준비를 계속할 마음이 없었다.

눈앞에 계속해서 울고 있는 젊은 여자의 눈이 보였다.

밤에 베린은 매우 잠자리를 설쳤다.

몇 번 깼다가 다시 잠들었지만 잠은 긴장되고 악몽이다.

흉몽을 꾸었다.

베린이 강가에 있다.

배를 숨긴 수풀에 갔다.

거기서 배를 찾지 못하고 갑자기 젊은 남자의 시체를 보았다.

남자는 땅 위에 움직이지 않고 누워있다.

유리 같은 눈은 크게 떠 있다.

강이 몸을 씻어낸다.

베린은 땀을 흘리며 떨면서 깨어났다.

아침까지 잠들지 못했다.

해가 떠오르자 침대에서 일어나 서둘러 아침밥을 먹고 가죽 웃옷을 입고 떠났다.

'나는 다른 사람의 배는 필요하지 않아.'

베린은 혼잣말했다.

'내가 배를 발견했다고 불쌍한 사람들에게 말할 거야.'

베린은 델레보 마을로 갔다.

배를 찾았다고 말하려고 그쪽으로 서둘렀다.

LA BOATO

Velin vidis la boaton, kiu flosis sur la rivero. Ĝi kvazaŭ elnaĝis el la nebulo. La fluo turnigis kaj direktis ĝin al la bordo. Velin tuj ekvadis en la riveron kaj kaj tiris la boaton sur la bordon. Atente kaj detale li trarigardis ĝin. De malproksime ŝajnis al li, ke la boato estas malnova, sed nun li vidis, ke ĝi estas preskaŭ nova. En la boato estis unu remilo kaj fiŝkaptista ĵet-reto. "Kio okazis? – demandis sin Velin. – Ĉu la posedanto de la boato falis en la riveron kaj la fluo portis la boaton ĉi tien? Antaŭ kelkaj tagoj la vetero estis tre malbona. Torente pluvis. Estis forta vento kaj certe okazis akcidento."

Delonge Velin deziris havi boaton kaj nun la sorto donacis al li preskaŭ novan boaton, per kiu li denove povas fiŝkaptadi. Li kaŝis la boaton en la arbustoj sur la bordo kaj decidis, ke se iu lia amiko demandus de kie li havas tiun ĉi belna boaton, Velin diros, ke Pavel, lia filo, donacis ĝin al li. Ĉiuj sciis, ke Pavel loĝas en la urbo, li estas riĉa komercisto kaj havas multe da mono.

Velin plurfoje petis Pavel, ke li aĉetu boaton, sed Pavel ĉiam diris:

-Vi estas maljuna. Vi ne bezonas boaton kaj vi ne devas plu fiŝkaptadi. Krom tio vi ne estas tute sana kaj vi devas pli multe ripozi.

Tamen malgraŭ sepdekjara, Velin bone fartis kaj deziris fiŝkaptadi. Tutan vivon li estis fiŝkaptisto, sed por la fiŝkaptado li bezonis boaton kaj jen, la boato sola venis al li. Antaŭ kelkaj jaroj Velin havis boaton, sed ĝi delonge malboniĝis kaj jam ne taŭgis por fiŝkaptado.

Nun pro ĝojo la sango de Velin iĝi varma kaj li decidis, ke unue li farbos tiun ĉi boaton, por ke iu ne rekonu ĝin. Velin revenis hejmen, tuj travestiĝis, ĉar lia pantalono estis malseka pro la vadado en la rivero, kiam li tiris la boaton sur la bordon, kaj li kuiris teon por varmigi sin. Kiam la teo estis preta, Velin sidis ĉe la tablo kaj komencis malrapide trinki ĝin. Trinkante li daŭre meditis pri la boato. Bela boato ĝi estis kaj li tre kontentis. Antaŭ jaroj Velin estis la plej bona fiŝkaptisto en la vilaĝo. Por li la fiŝkaptado ne estis laboro, sed arto. Sperta li estis kaj grandajn fiŝojn li kaptis – moruojn, silurojn.

Velin ne estis parolema, sed nun li sentis bezonon diri al iu, ke li jam havas belan boaton. Tial li iris el la domo kaj ekiris al la trinkejo, kie kutime li renkontiĝis kun siaj amikoj.

La trinkejo sur la valaĝa placo estis vasta ejo kun ĉirkaŭ dudek tabloj. Ĉi tie ĉiam estis viroj, kiuj trinkis, konversaciis. Velin sidis ĉe unu el la tabloj, ĉe kiu estis liaj amikoj Bone kaj Mile. Ili parolis pri fiŝoj kaj fiŝkaptado. Ja, ĉi tie, en vilaĝo Makreŝ, la ĉefa vivrimedo estis la fiŝkaptado.

La pordo de la trinkejo malfermiĝis kaj eniris viro kaj virino. Tuj videblis, ke ili ne estas el Makreŝ. La viro estis maljuna, la virino – juna. Verŝajne patro kaj filino. Ili sidis ĉe tablo, najbara al la tablo, ĉe kiu estis Velin kun siaj amikoj. La maljuna viro vokis la kelnerinon, Neli, kaj mendis tagmanĝon. Post dudek minutoj Neli portis al ili fiŝsupojn kaj rostitan karpon kun frititaj terpomoj. Antaŭ ekmanĝi la viro demandis Neli, kie en la vilaĝo estas la vilaĝdomo.

-Ĉu vi deziras aĉeti domon ĉi tie? – demandis Neli.

-Ne – respondis la viro. – Ni venis, ĉar ni havas grandan ĉagrenon.

Neli alrigardis la viron.

-Tio estas mia filino Jonka – diris li malrapide. – Ni estas el vilaĝo Delevo, kiu troviĝas je dek kilometroj de ĉi tie. Antaŭ semajno mia bofilo, Nejko, la edzo de mia filino, iris per la boato fiŝkaptadi, sed li ne revenis. Tutan semajnon ni ne scias kio okazis. Ni anoncis al la polico pri lia malapero, sed jam tiom da tagoj la polico nenion informas nin. La policanoj nur diras, ke ili serĉas lin. Mia filino ne ĉesas plori. Tial ni ekiris duope serĉi Nejkon. Verŝajne li falis en la riveron. Povas estis, ke la rivero portis lin al bordo. Eble iu vidis lin aŭ vidis lian boaton. Ni iras de vilaĝo al vilaĝo, ni demandas homojn pri li kaj pri la boato, sed ĝis nun neniu vidis lin, nek la boaton. Jonka ankoraŭ esperas, ke Nejko estas viva kaj eble li estas en iu malsanulejo.

La viro eksilentis kaj komencis forte tusi. La tusado estis profunda kaj tondra. Liaj manoj estis grandaj, kalkovritaj, lia vizaĝo - sulkigita kiel sekigita pruno kaj liaj okuloj similis al glataj riveraj ŝtonetoj. Verŝajne li estis sesdek kvinjara kaj Velin supozis, ke ankaŭ li estis fiŝkaptisto. Lia filino eble estis tridekjara. Bela virino, sed pro la ĉagreno ŝia vizaĝo estis pala kaj ĉirkaŭ ŝiaj nigraj, kiel olivoj, okuloj videblis malhelaj ombroj, certe pro la daŭra plorado. Same nun ŝi ploris kaj la patro diris al ŝi:

-Ne ploru, Jonke. Se ĉi tie la homoj eksciis ion, ili certe diros al ni.

La viro turnis sin al la tablo, ĉe kiu sidis Bone, Mile kaj Velin, kaj diris:

-Sinjoroj, mi petas vin, se hazarde vi eksciis ion pri viro, kiu dronis en la rivero, bonvolu diri al la polico en via vilaĝo.

Li denove rigardis sian filinon kaj denove provis

trankviligi ŝin.

-Ne ploru, Jonke, ne ploru.

Tamen la junulino kvazaŭ ne aŭdis lin. Ŝi ploris silente kaj ŝiaj varmaj larmoj fluis kiel riveretoj el ŝiaj belaj olivsimilaj okuloj. Postnelonge la patro kaj la filino pagis la tagmanĝon, ekstaris, diris "ĝis revido" kaj foriris.

Velin rigardis post ili kaj ŝajnis al li, ke ankoraŭ li vidas la okulojn de la junulino, plen-plenajn je larmoj. "Kio okazis? – demandis sin Velin. – Certe la viro dronis en la rivero. Ja, li ne plu bezonas la boaton."

Post unu horo Velin revenis hejmen. Li provis ion fari, prepari la ĵet-reton por la venonttaga fiŝkaptado, sed li ne havis emon daŭrigi la preparon. Antaŭ li konstante estis la plorantaj okuloj de la junulino.

Nokte Velin tre malbone dormis. Kelkfoje li vekiĝis, poste denove li ekdormis, tamen la dormado estis streĉa kaj koŝmara. Li sonĝis inkuban sonĝon. Velin vidis sin sur la riverbordo. Li iris al la arbusto, kie li kaŝis la boaton. Tamen tie li ne trovis la boaton, sed subite li vidis kadavron de juna viro. La viro kuŝis senmova sur la tero kaj liaj vitrecaj okuloj estis larĝe malfermitaj. La rivero surverŝis lian korpon. Velin vekiĝis ŝvita kaj tremanta.

Ĝis mateno li ne dormis. Kiam la suno aperis, li tuj

ekstaris de la lito, rapide li matenmanĝis, surmetis sian ledan jakon kaj foriris. "Mi ne bezonas alies boaton – diris al si mem Velin. – Mi diros al la kompatindaj homoj, ke mi trovis la boaton."

Velin iris al vilaĝo Delevo. Li rapidis tien por diri, ke li trovis la boaton.

달콤한 소리의 두 개 종

며칠 동안 소리 없이 눈이 내렸다.

높은 소나무들은 하얀 덮개를 썼다.

이미 일주일 내내 스타마트 아저씨는 산장 '튤립'에서 손님 접대를 하고 있다.

여기 방은 따뜻하다.

난로는 기관차처럼 소리를 낸다.

소나무와 약초 차 냄새가 난다.

스타마트 아저씨와 나는 탁자에 앉아 대화했다.

우리의 이야기는 끝이 없다.

밤에는 춥고 바람은 배고픈 승냥이처럼 울고 눈은 길과 오솔길을 덮었다.

아저씨는 홀아비다.

부인 도나 아줌마는 2년 전에 죽었다.

60살의 스타마트 아저씨는 큰 얼굴, 우유처럼 하얀 머리카락, 밝은 푸른색의 맑은 눈을 가지고 있다.

아주 매력적으로 말한다.

산에 대해 잘 알고 여름에도 겨울에도 여러 번 산에 다녔다. 스타마트 아저씨는 삼림 원이었으나 뒤에 산장 '튤립'의 주인이 되었다.

"내가 처음 여기 왔을 때 산장은 거의 부서졌지.

다시 짓기 시작했어."

스타마트 아저씨가 이야기했다.

"조금씩 일이 나아갔지.

나는 창과 문을 사고 이곳으로 날랐어.

내가 벽을 칠해 지금 이곳 선장은 아름답고 젊은 여성을 닮았어.

난간 위에 작은 불꽃처럼 붉은 제라늄이 있는 화분을 두었지.

산장 앞에는 화단을 만들었어.

리모델링은 아직 끝나지 않았어."

어느 아침에 선장에 여자가 나타났다.

나는 바깥 화단에 있었다.

여자는 조용히 내 앞에 섰다.

내가 쳐다보았지만, 조용히 아무 말도 안 했다.

내가 물었다. "산으로 여행 왔나요? 아주머니."

여자가 대답했다. "아니요. 도망 왔어요."

"무엇으로부터 도망 왔나요?"

"남편에게서요." 여자가 말했다.

"여기서 머물도록 허락해 주시면 정말 감사하겠습니다."

여자를 보면서 무엇이라고 말할지 몰랐다.

아름다운 여자다.

정말로 황금 같은 금발에 벌꿀 색깔의 눈, 눈처럼 흰 얼굴에 30살 정도였다.

산장으로 안내했다.

"이쪽으로 오세요." 나는 말했다. "차를 마셔요."

여자는 들어와 외투를 벗고 탁자에 앉아 이야기를 시작

했다.

카라야노브 마을 출신이라고 말했다.

이름은 도나다. 매우 젊어서 결혼했다.

남편은 카라야노브에서 가장 부자지만 자녀가 없었다.

결혼 잔치 뒤 5년, 10년이 지났다.

남편은 술을 많이 마시고 괴롭히기 시작했다.

가끔 말했다.

"당신이 내 인생을 망쳤어.

우리가 자녀가 없다고 모든 마을이 나를 놀려."

마침내 여자는 남자를 떠나기로 했다.

"제가 도울게요.

요리하고 산장을 돌보고 청소할게요." 여자가 말했다.

스타마트 아저씨는 이야기를 계속했다.

여자를 쳐다보았다. 불쌍하게 보였다.

여자는 아름답고 정말 예뻤다.

이렇게 아름다운 여자를 어떻게 괴롭힐 수 있을까?

정말 그것은 죄다. 마음이 편안하지 않았다.

남편이 와서 내가 아내를 유혹했다고 책임을 물을 것이라고 짐작했다. 그것은 물론 큰 문제다.

여자와 나는 탁자에 앉아있지만 나는 점점 걱정스럽다.

누가 산장으로 가까이 온다고 보였지만 바깥 숲은 조용하기만 했다.

저녁이 되고 어떻게 해야 할지, 나가라고 해야 할지 결정하지 못했다.

머리를 쓰니 머리가 지금 이 난로처럼 불이 났다.

밖은 점점 더 저녁이 되어갔다.

"배고픈가요?" 내가 여자에게 물었다.

여자는 고프지 않다고 말했지만, 콩국을 데웠다.

하나는 여자 하나는 내 것으로 두 개 접시에 국을 부었다.

빵을 주고 저녁을 먹기 시작했다.

여자는 배고프지 않다고 말했지만 마치 일주일 내내 아무것도 먹지 않은 듯 보였다.

나는 쳐다보았다. 벌꿀 색 눈이 나를 취하게 만들고 기적의 호수에 빠진 듯했다.

저녁을 먹고 말했다.

"당신은 방에서 자요. 나는 여기 식당에서 잘게요. 아침에 어떻게 할지 결정합시다."

여자는 방에 들어가고 나는 식당에 남았다.

저녁 내내 잠들지 못했다.

누가 와서 강압적으로 산장 문을 열려고 하는 것처럼 보였다.

문이 제대로 잠겼는지 보려고 문으로 여러 번 갔다.

사냥용 작은 총을 내 옆에 두었다.

조용히 여자가 자는 방에 들어갔다.

여자는 혼수상태에 빠진 듯 잤다.

정말 매우 지쳤다. 얼마나 많은 날 숲에서 헤맸는지 모른다.

창으로 몰래 들어온 달빛이 얼굴을 비춰서 자고 있어도

더욱 예뻤다.

얼굴은 흰 도자기처럼 하얗다.

방석 위의 머리카락이 작은 황금색 강을 닮았다.

죄 없이 순결한 어린아이처럼 잔다.

아침에 일어나서 방을 정리하고 산장 앞을 청소했다.

나는 슬라비야노보 마을에 가야 한다고 말하고 나갔다.

그러나 슬라비야노보에 가지 않고 카라야노브 마을로 갔다. 여자가 누구인지, 이름이 도라인지, 남편이 괴롭히는지 알고 싶었다.

카로야노브에 좋은 친구, 전에 무관(武官)이었던 요르단이 살고 있다.

요르단은 그 지역에서 가장 유명한 구리 종을 만들었다.

종이 소리 나는 것이 아니라 노래한다.

요르단은 종뿐만 아니라 포도주 구리 잔도 같이 만든다.

요르단의 집에 가니 문에서부터 그렇게 오랜 시간 찾아오지 않는다고 나를 꾸중했다.

"거기 산에서 산장에 혼자 있으면 야만인이 될 거야.

곰이나 늑대가 너를 먹을 거야.

나중에는 너의 뼈조차도 찾을 수 없을 거야."

들으면서 나는 혼자 말했다.

'너는 내게 누가 왔는지 모른다.

곰이 아니라 암사슴이다. 아름다운 암사슴.

네가 그 여자를 본다면 아름다움 때문에 황홀해질 것이다.'

요르단과 나는 대화하기 시작했다.

뜨겁게 만드는 좋은 포도주로 내게 대접했다.

카라야노브에 있는 지인들에 관해 묻고 뒤에 키토브 가족의 이름을 언급했다.

요르단은 나를 쳐다보았다.

"하리잔 키토브는 너무 술을 많이 마셔 자주 취했어."

요르단이 말했다.

"부인 도나가 집을 나갔어. 어디 갔는지 아무도 몰라."

나는 요르단과 헤어져 산장으로 돌아왔다.

산장으로 왔을 때 도나가 없으리라고 짐작했다.

그러나 여자는 떠나지 않고 점심을 차렸다.

우리는 점심 먹으러 탁자에 앉았고 도나가 물었다.

"슬라비야노보 마을에서 모든 일은 잘 하셨나요?"

"예." 대답했다.

나는 슬라비야노보 마을 읍사무소에 가서 읍장과 이야기했더니 산장을 다시 짓는 것을 끝내라고 읍장이 돈을 주기로 약속했다고 이야기하기 시작했다.

그러나 도나가 나를 이상하게 쳐다보더니 갑자기 물었다.

"나에 대해 모든 것을 아세요?

거짓말하지 않았다고 믿나요?"

놀랍고 부끄러워 말할 수도 없었다.

정말 도나는 내가 슬라비야노보 마을이 아니라 카라야노브 마을에 있었다고 짐작했다.

"예." 나는 고백했다. "카라야노브에 갔었어요."

"나는 그렇게 오랜 세월 남편과 왜 살았는지 이해하지

못해요." 도나는 울기 시작했다.

"결혼하면 사람들은 가족의 삶이 행복하길 희망합니다. 그러나." 여자가 말했다.

이런 대화 뒤 나와 도나는 함께 살았다.

우리 첫날밤은 결혼하는 밤 같았다.

도나의 몸은 내가 상상할 수 있는 가장 부드러운 몸이었다. 머리카락은 약초 냄새가 나고 팔은 사랑스럽게 나를 껴안았고 가슴은 두 개의 익은 마르멜루(유럽산 모과)를 닮았다. 아침에 해가 떠서 우리를 비출 때 우리는 함께 잔 것을 이미 알았다.

도나는 나를 찾아 먼 길을 돌아왔다.

일주일 뒤 이혼을 정리하려고 담당 지역 시청으로 갔다.

모든 일이 빠르게 지나갔다.

하리잔 키토브는 이혼에 동의했다.

내 친구 요르단과 아내 페나는 우리 결혼의 증인이다.

결혼 잔치는 여기 산장에서 있었다.

우리 친척과 친구들이 왔다.

우리는 두 마리 새끼 양을 요리했다.

요르단은 포도주 작은 통을 가져왔다.

두 개의 커다란 구리 종을 선물하면서 말했다.

"혼자 있는 종은 노래하지 않아.

두 개가 같이 노래하라고 두 개의 종을 선물해.

구리 종의 노래보다 더 아름답고 더 감미로운 음색은 없어.

노랫소리는 급류처럼 흘러.

우연히 종 하나가 조용해지면 다른 종이 계속해서 노래해."
"여기 두 개 구리 종이 있어."
그리고 스타마트 아저씨가 도나 아줌마 사진 아래 벽에
걸린 종을 보여주었다.
"내가 조금이라도 손대면 노래하지."
스타마트 아저씨가 손으로 종을 만지자 방에 감미로운
노래가 나오고 나는 마치 넓은 풀밭과 하얀 작은 구름을
닮은 양이 있는 양무리를 본 듯했다.
"도나는 노래를 잘 했어." 스타마트 아저씨가 말했다.
"많은 노래를 알아. 가끔 산장의 난간에 서서 노래했지.
목소리가 종달새 무리처럼 나무와 산꼭대기 위 하늘로
높이 날아갔어."
스타마트 아저씨는 창을 쳐다본다.
밖에는 이미 눈이 그쳤다.
방은 동화 같은 조용함에 잠겼다.
"스키를 가지고 카로야노브 마을로 가자." 스타마트 아
저씨가 말했다.
"산장에서 먹을 것을 사야 해."
서둘러 옷을 입고 스키를 메고 카라야노브로 갔다.
눈 덮인 길은 푸른 깃발처럼 서 있는 높은 소나무 사이
로 이어진다.
모든 것이 하얗다.
마치 세상이 막 태어나 커다란 흰 포대기에 싸인 듯했다.
1시간 뒤 카라야노브에 도착했다.

스타마트 아저씨는 먹을 것을 사고 나는 배낭에 넣을 수 있도록 도왔다.

"이왕 여기까지 왔으니" 스타마트 아저씨가 말했다.

"내 결혼 증인 요르단을 찾아가자."

우리는 요르단의 집이 있는 강가로 갔다.

기쁘게 우리를 맞아주었다.

부인 페나 아주머니는 점심 먹으라고 초대했다.

"피곤하고 배고프니 먼저 점심부터 먹어야 해요." 부인이 말했다.

요르단은 내게 말했다.

"지금까지 너는 우리 집에 손님으로 오지 않아 내 직업을 모르지. 들어와라. 내가 만든 것을 보여줄게." 집 1층에 있는 방으로 들어갔다.

나는 놀라서 쳐다보았다.

벽에는 크고 작은 종들이 걸려 있다.

황금인 듯 빛난다.

나는 요르단을 쳐다보았다. 눈도 똑같이 빛났다.

종 가운데 하나에 가까이 가서 손을 댔다.

가락 있는 소리가 들렸다.

"혼자 있는 종은 노래하지 않아." 요르단이 말했다.

가서 종을 차례대로 대기 시작했다.

나이팅게일의 노래처럼 가락이 큰 방에 울려 퍼진다.

종들은 여러 소리를 내며 노래했다.

그중 어떤 것은 부드럽고 다른 것은 낮다.

조금씩 종의 노래가 넓은 파도처럼 더욱 커졌다.

나는 이 노래 속에 빠져서 마치 날아갈 듯 가볍게 느꼈다.

나는 산 위로 날아간다.

내 밑에는 집, 마당, 걱정이 있다.

요르단은 계속해서 손으로 종을 어루만지며 되풀이했다.

"어느 종이 조용해지면 다른 것이 노래하기 시작하고 노 랫소리가 온 세상을 가득 채운다."

기쁜 눈을 보고 목소리를 듣고 요르단이 스타마트 아저씨 와 도나 아줌마에게 선물한 두 개의 종을 다시 기억했다.

도나 아주머니는 돌아가셨지만, 종은 남아 두 종은 산장 '튤립'에서 감미로운 소리로 노래할 것이다.

DU DOLĈVOĈAJ SONORILOJ

Kelkajn tagojn malrapide neĝis. La altaj pinarboj ekhavis blankajn kapuĉojn.

Jam tutan semajnon mi gastas al oĉjo Stamat en la montodomo "Tulipo". Ĉi tie, en la ĉambro, estas varme, la forno bumadas kiel lokomotivo, odoras je rezino kaj je drogherba teo. Oĉjo Stamat kaj mi sidas ĉe la tablo kaj konversacias. Niaj konversacioj estas senfinaj. Ekstere malvarmas, la vento hurlas kiel malsata ŝakalo kaj la neĝo kovras vojojn kaj padojn.

Oĉjo Stamat estas vidvo. Lia edzino, onjo Dona, forpasis antaŭ du jaroj. Sesdekjara oĉjo Stamat havas larĝan vizaĝon, blankan kiel lakton hararon kaj helverdajn serenajn okuloj. Tre alloge li rakontas. Bone li konas la montaron, plurfoje li travagis ĝin kaj somere, kaj vintre. Oĉjo Stamat estis forstisto kaj poste li iĝis dommastro de montodomo "Tulipo".

-Kiam mi venis ĉi tien, la montodomo estis preskaŭ detruita. Mi komencis rekonstrui ĝin – rakontis oĉjo Stamat. – Iom post iom la laboro progresis. Mi aĉetis kaj portis ĉi tien fenestrojn, pordojn. Mi farbis la murojn kaj jen, nun la montodomo estas bela kaj similas al junedzino. Sur la balkono mi metis florpotojn kun pelargonioj, kiuj ruĝas kiel fajreroj. Antaŭ la montodomo mi faris florbedojn.

La rekonstruo ankoraŭ ne estis finita kaj iun matenon en la montodomon venis virino. Mi estis ekstere ĉe la florbedoj. La virino silente ekstaris antaŭ mi. Mi rigardis ŝin, sed ŝi silentis, nenion ŝi diris. Mi demandis ŝin:

-Ĉu vi ekskursas en la monto, sinjorino?

Kaj ŝi respondis:

-Ne. Mi fuĝas.

-De kio vi fuĝas?

-De mia edzo – diris ŝi. – Se vi permesus, mi restus ĉi tie, mi estus tre dankema al vi.

Mi rigardis ŝin kaj mi ne sciis kion diri al ŝi. Bela virino. Verŝajne tridekjara kun blonda hararo kiel oro, kun okuloj – mielkoloraj kaj ŝia vizaĝo – blanka kiel neĝo.

Mi invitis ŝin en la montodomon.

-Bonvolu – diris mi. – Ni trinkos teon.

Ŝi eniris, malvestis sian mantelon, sidis ĉe la tablo kaj komencis rakonti. Ŝi diris, ke estas el vilaĝo Kalojanovo. Ŝia nomo estis Dona. Tre juna ŝi edziniĝis. Ŝia edzo estas la plej riĉa homo en Kalojanovo, sed ili ne havas infanojn. Pasis kvin jaroj, dek jaroj de la edziĝfesto kaj ŝia edzo komencis multe drinki kaj turmenti ŝin. Ofte li diris al ŝi: "Vi malbonigis mian vivon. La tuta vilaĝo primokas min, ke ni ne havas infanon." Fin-fine ŝi decidis forlasi lin.

-Mi helpos vin, mi kuiros, mi zorgos pri la montodomo, purigos ĝin – diris la virino.

-Mi rigardis ŝin – daŭrigis la rakonton oĉjo Stamat - kaj mi kompatis ŝin. Bela ŝi estis, tre bela. Kiel eblas turmenti tian belan virinon. Ja, tio estas peko. Mi tamen ne estis trankvila. Mi supozis, ke ŝia edzo venos kaj kulpigos min, ke mi allogis lian edzinon ĉi tien. Tio kompreneble estos granda problemo.

La virino kaj mi sidis ĉe la tablo kaj mi iĝis pli kaj pli maltrankvila. Ŝajnis al mi, ke iu proksimiĝas al la montodomo, sed ekstere en la arbaro, regis silento. Vesperiĝis kaj mi ne povis decidi kiel agi, ĉu mi forpelu ŝin. Ne eblis forpeli ŝin, nek lasi ŝin en la montodomo. Mi cerbumis kaj mia kapo fajris kiel tiu ĉi forno nun. Ekstere pli kaj pli vesperiĝis.

-Ĉu vi estas malsata? – demandis mi la virinon.

Ŝi diris, ke ne estas malsata, tamen mi varmigis la fazeolan supon. Mi verŝis ĝin en du telerojn, unu por ŝi, unu por mi. Mi donis al ŝi panon kaj ni komencis vespermanĝi. Ŝi diris, ke ne estas malsata, sed tiel ŝi manĝis kvazaŭ tutan semajnon ŝi manĝis nenion. Mi rigardis ŝin. Ŝiaj mielkoloraj okuloj ebriigis min, mi dronis en ili kiel en mirakla lago. Kiam ni finis la vespermanĝon, mi diris al ŝi:

-Vi dormos en la ĉambro kaj mi dormos ĉi tie, en la manĝejo. Matene ni decidos kiel agi.

Ŝi eniris en la ĉambron kaj mi restis en la manĝejo. Tutan nokton mi ne ekdormis. Ŝajnis al mi, ke iu venas, ke iu deziras perforte malfermi la pordon de la montodomo. Kelkfoje mi iris al la pordo por kontroli ĉu ĝi estas bone ŝlosita. Mi eĉ prenis mian ĉasfusilon kaj metis ĝin ĉe mi. Silente mi eniris la ĉambron, kie ŝi dormis. Ŝi dormis kiel narkotita. Ja, ŝi estis tre laca. Mi ne sciis kiom da tagoj ŝi vagis en la arbaro. La luna lumo, kiu enŝteliĝis tra la fenestro, lumigis ŝian vizaĝon kaj doramanta ŝi estis pli bela. Ŝia vizaĝo blankis kiel porcelano. Ŝia hararo sur la kuseno similis al ora rivero. Ŝi dormis kiel senkulpa ĉasta infano.

Matene ŝi vekiĝis, ordigis la ĉambron, balais antaŭ la montodomo. Mi diris al ŝi, ke mi devas iri al vilaĝo Slavjanovo kaj mi ekiris. Tamen mi ne iris al Slavjanovo, sed al vilaĝo Kalojanovo. Mi deziris ekscii kiu ŝi estas. Ĉu ŝia nomo estas Dona kaj ĉu ŝia edzo turmentis ŝin. En Kalojanovo mi havas bonan amikon, Jordan, eksoficiro. Li faras kuprajn sonorilojn, kiuj estas tre famaj en la tuta regiono. Liaj sonoriloj ne sonoras, sed kantas. Jordan faras ne nur sonorilojn, sed same kuprajn pokalojn por vino.

Iris mi al la domo de Jordan kaj jam de la pordo li komencis riproĉi min, ke tiom da tempo mi ne gastis al li.

-Tie, en la montaro, en la montodomo sola vi iĝos solvaĝulo. Ursoj kaj lupoj manĝos vin kaj poste eĉ viajn ostojn ni ne trovos.

Mi aŭskultis lin kaj al mi mem mi diris: "Vi ne scias kiu venis al mi. Ne urso, sed kapreolino. Bela kapreolino. Se vi vidus ŝin, ŝia beleco sorĉos vin."

Jordan kaj mi komencis konversacii. Li regalis min per bonega vino, kiu flamigis min. Mi demandis lin pri miaj konatoj en Kalojanovo kaj poste mi menciis la nomon de familio Kitovi. Jordan alrigardis min.

-Harizan Kitov tre multe drinkas kaj ofte li estas ebria — diris Jordan. - Lia edzino Dona iris ien. Neniu scias kien ŝi iris.

Mi adiaŭis Jordan kaj ekiris al la montodomo. Mi supozis, ke kiam mi revenos en la montodomon, Dona ne estos tie. Tamen ŝi ne foriris, ŝi kuiris tagmanĝon. Ni sidis ĉe la tablo tagmanĝi kaj Dona demandis min:

-Ĉu vi sukcesis ĉion aranĝi en vilaĝo Slavjanovo?

-Jes — respondis mi.

Mi komencis rakonti, ke en Slavjanovo mi estis en la vilaĝdomo, mi parolis kun la vilaĝestro, kiu promesis al mi doni monon, por ke mi finu la rekonstruon de la montodomo, tamen mi vidis, ke Dona rigardas min strange kaj subite ŝi demandis min:

-Ĉu vi eksciis ĉion pri mi? Ĉu vi konvinkiĝis, ke mi ne mensogis vin?

Pro miro kaj honto mi vorton ne povis diri. Ja, Dona konjektis, ke mi ne estis en Slavjanovo, sed en vilaĝo Kalojanovo.

-Jes – konfesis mi - Mi estis en Kalojanovo. Mi ne komprenas kial dum tiom da jaroj vi vivis kun via edzo? Dona ekploris.

-Kiam oni edziniĝas, oni esperas, ke la familia vivo estos feliĉa, sed … - diris ŝi.

Post tiu ĉi konversacio, mi kaj Dona ekloĝis kune. Nia unua nokto estis kiel nuptonokto. La korpo de Dona estis la plej tenera korpo, kiun mi povis imagi. Ŝia hararo odoris je drogherboj, ŝiaj brakoj ĉirkaŭprenis min karese, ŝiaj mamoj similis al du maturaj cidonioj. Matene, kiam la suno aperis kaj lumigis nin, ni jam sciis, ke ni loĝos kune. Dona trairis longan vojon por trovi min.

Post semajno ni iris al la regiona urbo por aranĝi ŝian

divorcon. Ĉio pasis rapide. Harizan Kitov konsentis divorci. Mia amiko Jordan kaj lia edzino, Pena, estis atestantoj de nia geedziĝo. La edziĝfesto okazis ĉi tie, en la montodomo. Venis niaj parencoj kaj amikoj. Ni bakis du ŝafidojn. Jordan alportis bareleton da vino. Li donacis al ni du grandajn kuprajn sonorilojn kaj li diris:

-Unu sonorilo sola ne kantas. Mi donacas al vi du sonorilojn, por ke ili kantu kune. Ne estas pli bela, pli dolĉtona kanto ol la kanto de la kupraj sonoriloj. Ilia kanto fluas kiel torento. Se hazarde unu el la sonoriloj silentiĝas, la alia sonorilo daŭrigas kanti.

-Jen, ĉi tie estas du kupraj sonoriloj – kaj oĉjo Stamat montris la sonorilojn, kiuj pendis sur la muro, sub la foto de onjo Dona. – Se mi eĉ iomete tuŝus ilin, ili ekkantus.

Oĉjo Stamat tuŝis mane la sonorilojn kaj en la ĉambro eksonis ilia dolĉa kanto kaj mi kvazaŭ vidis vastajn herbejojn, ŝafejojn kun ŝafoj, similaj al blankaj nubetoj.

-Dona kantis bonege – diris oĉjo Stamat. – Multajn kantojn ŝi sciis. Ofte ŝi staris sur la balkono de la montodomo kaj kantis. Ŝia voĉo kiel aro da alaŭdoj flugis alte en la ĉielo super la arboj kaj la pintoj.

Oĉjo Stamat rigardis al la fenestro. Ekstere jam ne neĝis. La ĉambro dronis en fabela silento.

-Ni surprenu la skiojn kaj ni iru al vilaĝo Kalojanovo –

diris oĉjo Stamat. – Mi devas aĉeti nutraĵproduktojn por la montodomo.

Ni rapide vestiĝis, surmetis la skiojn kaj ekiris al Kalojanovo. La neĝkovrita vojo pasis preter altaj pinarboj, kiuj staris kiel verdaj standardoj. Ĉio estis blanka, kvazaŭ la mondo ĵus naskiĝis kaj estis vindita en granda blanka vindotuko.

Post unu horo ni estis en Kalojanovo. Oĉjo Stamat aĉetis nutraĵproduktojn kaj mi helpis lin plenigi la dorsosakon.

-Se ni jam estas ĉi tie – diris oĉjo Stamat – ni vizitu Jordan, mia nuptopatro.

Ni ekiris al la rivero, ĉe kies bordo estis la domo de Jordan. Li ĝoje renkontis nin. Onjo Pena, lia edzino, tuj invitis nin tagmanĝi.

-Vi estas lacaj, malsataj kaj vi devas unue tagmanĝi – diris ŝi.

Jordan diris al mi:

-Ĝis nun vi ne gastis al mi kaj vi ne konas mian metion. Venu mi montros al vi kion mi faras.

Ni iris en grandan ĉambron sur la unua etaĝo de la domo. Mi rigardis mire. Sur la muroj pendis multaj sonoriloj, pli grandaj kaj pli malgrandaj. Ili brilis kvazaŭ estis oraj. Mi rigardis Jordan. Liaj okuloj same brilis. Li proksimiĝis kaj tuŝis unu el la sonoriloj. Aŭdiĝis melodia sonoro.

-Unu sonorilo sola ne kantas – diris Jordan.

Li iris kaj komencis tuŝi sonorilon post sonorilo. Melodio kiel najtingala kanto eksonis en la granda ĉambro. La sonoriloj kantis per diversaj voĉoj. Iuj el ili estis teneraj, aliaj – basaj. Iom post iom la sonorila kanto iĝis pli forta, simila al vasta ondo. Mi dronis en tiu ĉi kanto kaj kvazaŭ mi iĝis malpeza. Mi ekflugis super la monto. Sub mi estis la domoj, la kortoj, la zorgoj. Jordan daŭre karesis mane la sonorilojn kaj ripetis:

-Se iu sonorilo silentiĝos, alia komencas kanti kaj la kanto sonorplenigas la tutan monton.

Mi rigardis liajn ĝojajn okulojn, aŭskultis lian voĉon kaj mi rememoris du sonorilojn, kiujn Jordan donacis al oĉjo Stamat kaj al onjo Dona. Onjo Dona forpasis, sed ŝia sonorilo restis kaj du sonoriloj per siaj dolĉaj voĉoj kantos ĉiam en la montodomo "Tulipo".

군인

습관적으로 토요일 오후에 헬레나, 다라 그리고 갈리나는 찻집 '소나무'에 갔다.
이 찻집이 마음에 들었다.
그것은 도시 바깥에 있고 가까이에 흐르는 강과 작은 호수가 있다.
봄과 여름에 찻집 탁자는 바깥 높은 소나무 아래 있다.
이번 토요일에 세 명의 친구들은 버스로 왔다.
찻집에 사람은 많지 않다.
탁자는 이미 밖에 놓여있어, 어린 여자아이들은 작은 호수 가까이에 있는 탁자에 앉았다.
오후의 햇볕은 얼굴을 어루만진다.
헬레나, 다라, 갈리나는 도시 고등교육원에서 공부하면서 거의 항상 같이 있다.
헬레나는 부모와 살고 있다.
다른 도시에서 온 다나와 갈리는 고등교육원 공동기숙사에서 산다.
아름답고 매력적인 어린 여자아이 헬레나는 갈색 머리카락에 마치 나뭇잎의 푸르름을 다시 비추는 듯한 눈을 가지고 있다. 다라는 금발에 파란 눈이고, 갈리나는 키 작고 검은 눈에 매우 매력 있게 보이는 긴 눈썹을 가졌다.
보통처럼 어린 여자아이들은 우유를 탄 커피와 매우 맛있는 작은 빵을 주문했다.

찻집 탁자에는 자녀가 작은 호수에서 노는 몇 가정이 있다.
젊은 종업원 이반은 빠르게 탁자 사이를 다니며 주문받은 음료와 맛있는 것을 가져다주었다.
검은 바지, 하얀 와이셔츠, 공단으로 된 옷을 입었다.
헬레나, 다라, 갈리나는 이반을 좋아했다.
키 크고 짙은 머리카락에 청동색 얼굴, 어둡고 빛나는 눈은 인도 사람을 닮았다.
정말로 여자들 마음에 든다. 이반 역시 학생이다.
그러나 봄, 여름, 가을에 찻집에서 종업원으로 일한다.
5월의 낮에는 해가 나와 조금 따뜻하다.
헬레나, 다라, 갈리나는 남녀 선생님, 그들이 본 영화, 남녀 친구들에 관해 즐겁게 수다 떤다.
갑자기 찻집 가까이 작은 호수에서 군인이 큰 소리로 소리 지르기 시작했다.
"멀리 달려가세요. 바로 멀리 뛰어가세요.
호수 막는 장애물의 벽이 무너져 곧 물이 모든 것을 덮칩니다."
처음에 찻집의 사람들은 젊은 군인이 미쳤거나 술 취했다고 생각하고 쳐다보기조차 않았다.
그러나 군인은 더 세게 소리쳤다.
"멀리 뛰어가세요. 물이 옵니다."
거기 산 위에 큰 호수 막는 장애물이 있고, 전기를 생산하는 전기 본부가 있는데 아마 호수 막는 장애물의 벽이 무너졌다.

군인은 다시 소리쳤다.

모자도 없고 땀을 흘리며 얼굴은 토마토처럼 빨갛고 눈빛은 뜨겁다.

가쁘게 숨을 쉰다.

찻집에 있는 사람에게 경고하려고 아마 뛰어 왔다.

지금 모두 일어서서 뛰기 시작했다.

공포가 생겼다. 여자들은 소리치기 시작했다.

탁자는 넘어졌다. 유리잔은 부서졌다.

아이들은 울기 시작했다.

아버지는 자녀를 안고 뛰었다.

헬레나, 다라, 갈리나는 몇 초 동안 움직이지 않고 남았다.

"위로 달려가라. 산비탈로." 군인이 소리 질렀다.

세 명이 여자아이는 산비탈로 달렸다.

헬레나는 큰 호수 막는 장애물의 벽이 무너졌다고 믿고 싶지 않았다.

그런 일이 생겼다면 곧 물은 찻집뿐만 아니라 둘레 모두에 범람할 것이다.

찻집 '소나무'는 찻길과 강과 산 사이에 있다. 산 사이는 길고 작은 복도를 닮아 거대한 파도처럼 물이 밀려올 것이다.

크게 무서워진 헬레나는 산비탈로 기어올랐다.

'그렇게 아름다운 5월 오후에 그 일이 일어나야 할까?

다라와 갈리나는 어디에 있지?'

함께 산비탈로 뛰어갔는데 지금은 헬레나 혼자다.

용기를 내 보려고 했지만, 힘은 빠르게 없어지고 몸은 거대한 돌처럼 무거워졌다.

헬레나는 넘어지고, 떨어지고, 산비탈 위에서 미끄러졌다.

돌에 손을 내리쳐서 날카로운 아픔을 느꼈다.

이미 희망은 없다.

곧 물이 올 것이고 그 속에 잠길 것이다.

이 순간에 하얀 힘센 손이 헬레나의 손을 잡고 일어서도록 도와줬다.

"서둘러!" 헬레나는 들었다.

눈을 뜨고 군인을 보았다.

군인이 헬레나를 위로 끌어 올렸다.

"걸어갈 수 없어요." 헬레나가 울기 시작했다.

"아직 조금 더." 군인이 소리쳤다.

"아직 조금 더 가라."

헬레나의 오른쪽 신발이 떨어졌다.

가시 수풀이 옷을 찢었다.

군인이 헬레나의 손을 세게 잡고 끄는 견인 자동차처럼 위로 당겼다.

헬레나는 힘겹게 숨을 쉬었다.

두려움이 몸을 마비시켰다.

세게 잡아당기는 모르는 군인이나, 곧 모든 것을 범람시킬 물의 파도, 무엇이 더 두려운지 확신할 수 없다.

"아직 조금 더." 다시 군인이 말했다.

군인도 똑같이 무겁게 숨을 쉬는데 뜨거운 눈은 파란 작은 전구를 닮았다.

매우 애를 쓰면서 둘은 아직 몇 미터 더 가서 높은 소나무 옆으로 넘어졌다.

"잘했어요." 군인이 말했다.

"우리는 충분히 이미 멀리 왔어요."

나는 감히 쳐다보지도 못했다.

자신이 무섭게 보였다. 외투는 찢어졌다.

오른쪽 신발은 없어졌다.

아래에서 무서운 천둥소리가 들렸다.

물살이 세게 흘렀다. 거대한 파도가 모든 것을 덮었다.

큰 강이 나무, 차, 아마 사람까지 덮었다.

지금까지 이런 무서운 것을 보지 못했다.

거의 기절할 뻔했다.

본능적으로 군인의 손을 잡았다.

둘은 놀란 채, 아래 있는 모든 것을 때려 부수는 물의 지옥을 바라보았다.

아마 두 시간이 지났다. 파도는 점차 잦아졌다.

도시로 흐르고 있는데 거기는 무슨 일이 있을까?

멀리서 외치는 소리와 우는 소리가 들렸다.

헬레나는 그곳의 무서운 것, 공포를 상상할 수 없다.

저녁이 되었다. 둘은 도시로 갔다.

헬레나는 걱정스럽게 부모와 자매에 대해 생각했다.

그들은 이 물난리를 겪었을까?

헬레나의 집은 도시 가운데 있다.

물은 집에도 해를 끼쳤을까?

헬레나는 다른 신을 들어 던져 버리고 맨발로 걸어갔다.

날카로운 작은 돌이 발을 상하게 했다.

팔도 고통스럽다.

찻길은 진흙으로 덮였다.

모든 곳에서 돌, 무너진 나무, 뒤집힌 차들을 볼 수 있다.

무섭다. 둘은 헬레나 집에 가까이 갔다.

길에서 방안에 불빛이 있는 것을 보고 조금 편안해졌다.

헬레나는 마당의 문 앞에 섰다.

"저는 여기에 살아요." 헬레나가 말했다.

헬레나는 군인을 껴안고 뽀뽀했다.

"감사합니다." 헬레나가 말했다.

"잘 가요." 군인이 말했다.

헬레나는 문을 열고 마당으로 들어갔다.

무서운 물난리 뒤 일주일이 지났다.

도시에서 많은 사람이 죽었다.

낮은 지대에 사는 사람들은 가장 많이 고통스럽다.

죽은 사람 중에는 나이든 부부와 어린아이가 있다. 계속해서 찻집 '소나무' 가까운 지역에서 울음과 탄식 소리가 났다.

갈리나와 젊은 종업원 이반은 물에 빠져 죽었다.

도망가는 데 성공하지 못했다. 정말 이반은 매우 힘이 세다.

그러나 누군가가 이반이 늙은 아주머니를 도우려고 했다

고 언급했다.

몇 날이 지났다. 여름이 왔다.

찻길은 깨끗이 치웠다.

찻집 '소나무'는 다시 문을 열었다.

지금 탁자와 의자는 새것이다.

찻집은 완전히 다르게 보이고 이제는 예전 같은 낭만적 분위기가 없다.

훨씬 적게 사람들이 온다.

이미 몇 달 전부터 헬레나는 구해 준 군인을 찾았다.

어디에도 보이지 않았다.

갑자기 어느 길거리에서 보기를 희망했다.

얼굴과 손가락은 마치 헬레나의 기억에 봉해진 것 같다.

밤에 꿈을 꾸었다. 악몽이었다.

크고 무서운 강. 헬레나는 강 안에 있다.

멀리서 강가에 군인이 서 있다.

헬레나는 소리치며 팔을 뻗었지만, 군인은 듣지 않고 보지도 않았다.

강은 미친 듯이 흐르고, 소리 내고, 천둥 친다.

땀이 차서 두려워서 깼다.

정말 침대에 있다. 다시는 잘 수 없었다.

마치 다시 군인, 푸른 눈, 토마토처럼 빨간 얼굴을 본 듯했다.

헬레나는 이미 언젠가 다시 만나리라는 희망을 버렸다.

6년이 지났다. 여름 오후에 헬레나와 남편, 5살 된 딸이 찻집 '소나무'에 왔다.

탁자에 앉아 우유를 탄 커피를 주문했다.

그러나 여기에 이미 맛있는 작은 빵은 없다.

딸 베라는 작은 호수에서 논다.

찻길로 가는 통로 가까이에 작은 소나무가 있다.

헬레나는 친구 다라가 이반을 기념해 심었다는 것을 안다.

다라는 이미 어린이집 교사이고, 2년 전에 학생들과 함께 여기 와서 작은 소나무를 심었다.

다라가 이반을 사랑했다고 헬레나는 자신에게 말했다.

찻집 옆 산비탈 위에는 많은 수풀이 자란다.

헬레나는 다시 군인을 기억했다.

이름도 알지 못했다.

그때 이름이 무엇이냐고 묻지 않았다.

나는 결코 군인에 대해 남편에게 언급하지 않았다.

범람했을 때 헬레나의 남편은 이 도시에 살지 않았다.

때때로 헬레나는 스스로 물어본다.

군인은 지금 어디에 있으며 무슨 일이 있었을까?

LA SOLDATO - SAVANTO

Kutime sabate posttagmeze Helena, Dara kaj Galina iris en kafejon "Pino". Al ili plaĉis tiu ĉi kafejo. Ĝi estis ekster la urbo, proksime fluis rivero kaj estis malgranda lago. Printempe kaj somere la tabloj de la kafejo staris ekstere sub la altaj pinarboj.

Ĉisabate tri amikinoj venis ĉi tien buse. En la kafejo ne estis multaj homoj. La tabloj jam estis ekstere kaj la knabinoj sidis ĉe tablo, proksime al la lageto. La radioj de la posttagmeza suno karesis iliajn vizaĝojn. Helena, Dara kaj Galina lernis en la urba altlernejo kaj preskaŭ ĉiam ili estis kune. Helena loĝis kun siaj gepatroj. Dara kaj Galina, kiuj estis el aliaj urboj, loĝis en la komuna loĝejo de la altlernejo.

Bela, alloga knabino, Helena havis brunan hararon kaj okulojn, kiuj kvazaŭ respegulis la verdecon de la arbofolioj. Dara estis blondharara, bluokula, Galina – malalta kun nigraj okuloj kaj longaj palpebroj, kiuj igis ŝin tre ĉarma.

Kiel kutime la knabinoj mendis kafon kun lakto kaj bulketojn, kiuj estis tre bongustaj. En la kafejo ĉe la tabloj sidis kelkaj familioj, kies infanoj ludis ĉe la lageto. Ivan, la juna kelnero, rapide pasis de tablo al tablo kaj servis la menditajn trinkaĵojn kaj dolĉaĵojn. Li surhavis nigran pantalonon, blankan ĉemizon kaj satenan veŝton. Helena, Dara kaj Galina estis enamiĝintaj en Ivan. Alta kun nigra densa hararo, bronzkolora vizaĝo kaj malhelaj brilaj okuloj li similis al hindo kaj verŝajne tial li plaĉis al la virinoj. Ivan ankaŭ estis studento, sed printempe, somere kaj aŭtune li laboris kiel kelnero en la kafejo.

Nun la maja tago sunis, varmetis, Helena, Dara kaj Galina gaje babilis pri siaj geinstruistoj, pri filmoj, kiujn ili spektis, pri siaj geamikoj.

Subite en la kafejo, ĉe la lageto, ekstaris soldato, kiu komencis plenvoĉe krii:

-Forkuru! Tuj forkuru! La muro de la baraĵlago falis kaj baldaŭ la akvo inundos ĉion.

En la unua momento la homoj en la kafejo opiniis, ke la juna soldato estas freneza aŭ ebria kaj ili eĉ ne rigardis lin. Tamen li pli forte kriis:

-Forkuru! La akvo venas.

Tie, supre en la monto, estis granda baraĵlago, ĉe kiu estis elektrocentralo, kiu produktis kurenton kaj eble la muro de la baraĵlago falis. La soldato denove kriis. Li estis sen ĉapelo, ŝvitis, lia vizaĝo ruĝis kiel tomato kaj lia rigardo estis febra. Li peze spiris. Eble li kuris al la kafejo por averi la homojn en ĝi.

Nun, ĉiuj ekstaris kaj ekkuris. Ekestis paniko. La virnoj komencis krii. Tablo falis. Vitraj galsoj rompiĝis. Infanoj ekploris. La patroj prenis la infanojn kaj kuris. Helena, Dara kaj Galina kelkajn sekundojn restis senmovaj.

-Kuru alten, al la deklivo – kriis al ili la soldato.

Tri knabinoj ekkuris al la deklivo. Helena ne deziris kredi, ke la muro de la granda baraĵlago falis. Se tio okazis, baldaŭ la akvo inundos ne nur la kafejon, sed la tutan ĉirkaŭaĵon. Kafejo "Pino" troviĝis en intermonto. Inter ŝoseo kaj rivero. La intermonto similis al longa mallarĝa koridoro kaj la akvo venos kiel grandega ondo. Terurigita Helena rampis sur la deklivon.

Ĉu tio devis okazi en la belega maja posttagmezo? Kie estas Dara kaj Galina? Ili kune ekkuris al la deklivo, sed nun Helena estis sola. Ŝi provis kuraĝigi sin mem, sed ŝiaj fortoj rapide elĉerpiĝis kaj ŝia korpo pezis kiel grandega ŝtono. Helena stumblis, falis, glitiĝis sur la deklivo. Ŝi frapis sian brakon je ŝtono kaj eksentis akran doloron. Jam ne estis espero. Baldaŭ la akvo venos kaj ŝi dronos en ĝi. En tiu ĉi momento forta mano kaptis ŝian manon kaj helpis ŝin ekstari.

-Rapide! – aŭdis Helena.

Ŝi malfermis okulojn kaj vidis la soldaton. Li tiris ŝin supren.

-Mi ne povas iri – ekploris Helena.

-Ankoraŭ iomete – kriis la soldato. – Iru ankoraŭ iomete!

La dekstra ŝuo de Helena falis. Dorna arbusto ŝiris ŝian robon. La soldato forte tenis ŝian manon kaj tiris ŝin kiel trentraktoro. Helena peze spiris. La timo paralizis ŝin. Ŝi ne certis kio pli timigas ŝin: ĉu la nekonata soldato, kiu forte tiras ŝin, aŭ la akva ondo, kiu baldaŭ inundos ĉion.

-Ankoraŭ iomete – denove diris la soldato.

Li same peze spiris kaj liaj febraj okuloj similis al bluaj globetoj. Tre pene ambaŭ iris ankoraŭ kelkajn metrojn kaj falis ĉe alta pinarbo.

-Bone – diris la soldato. – Ni jam estas sufiĉe malproksime.

Helena ne kuraĝis alrigardi lin. Ŝi mem aspektis terure. Ŝia robo estis disŝirita. Ŝia dekstra ŝuo mankis. Tie, malsupre, aŭdiĝis terura tondro. La akvo fluegis. Grandega ondo forigis ĉion. La riverego trenis arbojn, aŭtojn kaj eble homojn. Ĝis nun Helena ne vidis tian teruraĵon. Ŝi svenis. Instinkte ŝi premis la manon de la soldato. Li kaj ŝi konsternite rigardis la akvan inferon, kiu frakasis ĉion malsupre.

Pasis eble du horoj. La ondo iĝis pli malgranda. Ĝi fluis al la urbo, sed kio okazis tie? De malproksime aŭdiĝis krioj kaj ploroj. Helena ne povis imagi la teruraĵon, la panikon tie.

Vesperiĝis. Helena kaj la soldato ekiris al la urbo. Helena maltrankvile meditis pri siaj gepatroj kaj pri la fratino. Ĉu ili travivis la inundon? La domo de Helena troviĝis en la centro de la urbo. Ĉu la akvo damaĝis la domon?

Helena deprenis, ĵetis la alian ŝuon kaj paŝis nudpieda. Akraj ŝtonetoj vundis ŝiajn piedojn. Ŝia brako doloris. La ŝoseo estis kovrita per koto. Ĉie videblis ŝtonoj, falintaj arboj, renversitaj aŭtoj. Estis terure. Helena kaj la soldato proksimiĝis al la domo de Helena. De la strato ŝi vidis, ke en la ĉambro lumas kaj tio iom trankviligis ŝin. Helena haltis antaŭ la pordo de la korto.

-Mi loĝas ĉi tie – diris ŝi.

Helena ĉirkaŭprenis la soldaton kaj kisis lin.

-Dankon – diris ŝi.

-Ĝis revido – diris la soldato.

Helena malfermis la pordon kaj eniris la korton.

Pasis semajno post la terura inundo. Multaj homoj el la urbo mortis. Tiuj, kiuj loĝis en la malsupra kvartalo, la plej multe suferis. Inter la mortintoj estis maljunuloj kaj infanoj. Daŭre aŭdiĝis ploroj kaj lamentoj en la kvartalo, kiu troviĝis proksime al kafejo "Pino". Galina kaj Ivan, la juna kelnero, dronis. Ili ne sukcesis forkuri. Ja, Ivan estis tre forta, sed iu menciis, ke li provis helpi maljunan virinon.

La tagoj pasis. Venis la somero. Oni purigis la ŝoseon. Kafejo "Pino" denove ekfunkciis. Nun la tabloj kaj la seĝoj estis novaj. La tuta kafejo aspektis tute alia kaj en ĝi ne plu estis la romantika atmosfero kiel antaŭe. Pli malmultaj homoj venis ĉi tien.

Jam de kelkaj monatoj Helena serĉis la soldaton, kiu savis ŝin, sed ŝi nenie trovis lin. Helena esperis, ke foje subite ŝi vodos lin sur iu strato. Lia vizaĝo, lia figuro kvazaŭ estis sigelitaj en la memoro de Helena. Nokte ŝi sonĝis lin. Estis koŝmaraj sonĝoj. Granda terura rivero. Helena estas en la rivero. Malprokisme de ŝi sur la rivera bordo staras la soldato. Helena krias, etendas brakojn, sed la soldato ne aŭdas kaj ne vidas ŝin. La rivero fluas freneze, bruas, tondras. Helena vekiĝas ŝvita, timigita. Ja, ŝi estas en la lito, ŝi ne povas plu dormi. Ŝi kvazaŭ denove vidas la soldaton, liajn bluajn okulojn, lian vizaĝon, ruĝan kiel tomaton. Helena jam ne esperas, ke iam ŝi renkontos lin.

Pasis ses jaroj. Foje en somera posttagmezo Helena, ŝia edzo kaj ŝia kvinjara filino venis en kafejon "Pino". Ili sidis ĉe tablo, mendis kafon kun lakto, sed ĉi tie oni jam ne bakas la bongustajn bulkojn. Vera, la filino de Helena, ludis ĉe la lageto. Proksime al la pado al la kafejo estas pinarbeto. Helena scias, ke Dara, ŝia amikino, plantis ĝin memore je Ivan. Dara jam estas infaninstruistino kaj antaŭ du jaroj ŝi estis ĉi tie kun la lernantoj kaj plantis la pinarbeton. Dara amis Ivan, diris al si mem Helena.

Sur la deklivo ĉe la kafejo nun kreskas multaj arbustoj. Helena denove rememoras la soldaton. Ŝi ne scias lian nomon. Tiam ŝi ne demandis lin kia estas lia nomo. Helena neniam menciis al sia edzo pri la soldato. Tiam, kiam estis la inundo, la edzo de Helena ne loĝis en la urbo. De tempo al tempo Helena demandas sin: kie nun estas la soldato kaj kio okazis al li.

도라 이모

마을의 모든 사람은 도라 이모를 안다.

이모는 멀리서 보면 커다란 해바라기 같이 보이도록 노랗게 칠해진 작은 단층집에서 산다.

꽃을 좋아하여 집 마당에는 장미, 튤립, 히아신스, 패랭이꽃이 가득하다.

가끔 이웃집 여자를 초청한다. 친절하고 잘 도와준다.

봄, 여름, 가을에 마당으로 이웃 여자들이 모인다.

포도나무 정자 아래 오래된 나무 탁자에 앉아 수다 떨고 커피를 마셨다.

도라 이모는 특별한 재능을 가졌다.

커피잔에서 형태를 알아맞히고 그에 따라 사람의 앞날을 점친다.

많은 젊은 여자들이 와서 앞날을 점쳐 달라고 요청했다.

친절하게 만나고 향기 나는 커피를 타서 마시고 나중에는 앞날의 삶에 대해 무슨 일이 일어날지 점을 친다.

사랑스럽고 매력이 넘치는 도라 이모는 흰머리에 따뜻한 밤 같은 눈을 가졌다.

어느 알려진 동화에 나오는 마술사를 닮았다.

커피잔을 쳐다보면서 젊은 여자에게 무슨 일이 일어날지 운명이 어떨지 조용하게 말했다.

주의해서 듣고 나중에 그들에게 일어났던 모든 것을 점쳤다고 기쁘게 말했다.

한 번은 울면서 젊은 여자가 왔다.

아름답고 긴 갈색 머리카락에 벚꽃 같은 눈을 가졌다.

도라 이모는 곧 커피를 타고 마시려고 탁자에 같이 앉았다.

뒤에 커피잔을 잡고 말하기 시작했다.

젊은 여자가 가려고 일어설 때는 이미 울지 않고 더 편안하게 보였다.

2주 뒤 여자는 다시 왔다.

지금 커다란 장미 꽃다발을 가지고 와 도라 이모에게 선물했다.

여자의 눈은 기뻐서 행복하게 빛났다.

도라 이모에게 여자가 말했다.

"점친 대로 모든 것이 일어났어요.

남편은 돌아오고 지금 우리는 다시 같이 있어요."

"건강하고 모든 삶을 함께하세요." 도라 이모가 말했다.

젊은 여자가 떠났을 때 나는 젊은 여자의 남편이 돌아올지 어떻게 미리 볼 수 있냐고 물었다.

"나는 아무것도 미리 보지 않았어. 단지 희망을 줬지.

희망 없이 산다는 것은 정말 불가능해."

ONKLINO DORA

Ĉiuj en la loĝkvartalo konis onklinon Dora. Ŝi loĝis en malgranda unuetaĝa domo, flavfarbita, kiu de malproksime similis al granda helianto. Onklino Dora ŝatis florojn kaj en la korto de ŝia domo abundis je rozoj, tulipoj, hiacintoj, diantoj...

La najbarinoj ofte gastis al ŝi. Ja, ŝi estis kara kaj helpema. Printempe, somere kaj aŭtune en ŝia korto kolektiĝis aro da najbarinoj. Ili sidis ĉe la malnova ligna tablo sub la vitlaŭbo babilis kaj trinkis kafon. Onklino Dora havis nerodinaran talenton. Ŝi divenis la figurojn en la kaftasoj kaj laŭ ili ŝi aŭguris la estontaĵon de la homoj.

Multaj junulinoj venis al ŝi kaj petis ŝin aŭguri ilian estontaĵon. Onklino Dora renkontis ilin afable, ŝi kuiris aroman kafon, ili trinkis ĝin kaj poste onklino Dora aŭguris kio okazos en ilia estonta vivo.

Kara kaj ĉarma, onklino Dora havis blankan hararon kaj okulojn kiel varmajn kaŝtanojn. Ŝi similis al nobla sorĉistino, alveninta el iu konata fabelo. Ragrdanta la kaftasojn ŝi mallaŭte diris kio okazos kaj kia estos la sorto de la junulinoj. Ili aŭskultis ŝin atente kaj poste ĝoje ili diris, ke onklino Dora aŭguris ĉion, kio al ili okazis.

Foje venis ploranta juna virino, bela kun longa brunkolora hararo kaj okuloj kiel ĉerizoj. Onklino Dora tuj kuiris kafon kaj ambaŭ sidis ĉe la tablo por tirnki ĝin. Poste onklino Dora prenis la kaftason kaj komencis paroli. Kiam la juna virino ekstaris por foriri, ŝi jam ne ploris kaj aspektis pli trankvila.

Post du semajnoj la virino denove venis. Nun ŝi portis grandan bukedon de rozoj, kiun ŝi donacis al onklino Dora. La okuloj de la virino ĝoje kaj feliĉe brilis.

-Onjo Dora – ŝi diris. – Ĉio okazis tiel kiel vi aŭguris. Mia edzo revenis kaj nun ni denove estas kune.

-Estu sanaj kaj tutan vivon estu kune – diris onklino Dora.

Kiam la juna virino foriris, mi demandis onklinon Dora kiel ŝi antaŭvidis, ke la edzo de la virino revenos.

Onklino Dora respondis:

-Nenion mi antaŭvidis. Mi nur donis al ŝi esperon. Ja ne eblas vivi sen espero.

저자에 대하여

율리안 모데스트는 불가리아의 소피아에서 태어났다.
1973년 에스페란토를 배우기 시작하여 대학에서 잡지
'불가리아 에스페란토사용자'에 에스페란토 기사와 시를
게재했다.
1977년부터 1985년까지 부다페스트에서 살면서 헝가리
에스페란토사용자와 결혼했다.
첫 번째 에스페란토 단편 소설을 그곳에서 출간했다.
부다페스트에서 단편 소설, 리뷰 및 기사를 통해 다양한
에스페란토 잡지에 적극적으로 기고했다.
그곳에서 그는 헝가리 젊은 작가 협회의 회원이었다.
1986년부터 1992년까지 소피아의 '성 클리멘트 오리드
스키'대학에서 에스페란토 강사로 재직하면서 언어, 원작
에스페란토 문학 및 에스페란토 운동의 역사를 가르쳤
고. 1985년부터 1988년까지 불가리아 에스페란토 협회
출판사의 편집장을 역임했다.
1992년부터 1993년까지 불가리아 에스페란토 협회 회장
을 지냈다.
자주 에스페란토 원본 문학에 대해 강의합니다.
에스페란토 서적과 에스페란토 작가들에 대한 여러 리뷰
와 연구의 저자입니다.
에스페란토와 불가리아어 단편 소설이 알바니아어, 영어,
헝가리어, 일본어, 한국어, 크로아티아어, 마케도니아 어,

러시아어, 우크라이나어 등 다양한 언어로 번역되었다.

현재 불가리아에서 가장 유명한 작가 중 한 명이다.

단편 소설은 다양한 불가리아어 잡지와 신문에 게재된다. 불가리아어와 에스페란토 단편 소설 중 일부는 온라인에 있다.

이야기, 에세이 및 기사는 다양한 잡지 "Hungara Vivo", "Budapest Newsletter", "Literatura Foiro", Fonto ", "Monato", "Beletra Almanako", "La Ondo de Esperanto", "Zagreba Esperantisto" 및 기타에서 볼 수 있다.

지금은 잡지 "Bulgara Esperantisto"의 편집장이다.

불가리아 신문과 다양한 라디오 및 텔레비전 방송국에서 자주 인터뷰를 하는데, 그곳에서 원본과 번역된 에스페란토 문학에 대해 이야기한다.

여러 에스페란토와 불가리아어 책을 편집했다.

불가리아에서 가장 유명한 작가 중 한 명이며 불가리아 작가 협회와 에스페란토 PEN 클럽회원이다.

PRI JULIAN MODEST

Julian Modest naskiĝis en Sofio. Bulgario. En 1977 li finis bulgaran filologion en Sofia Universitato "Sankta Kliment Ohridski", kie en 1973 li komencis lerni Esperanton. Jam en la universitato li aperigis Esperantajn artikolojn kaj poemojn en revuo "Bulgara Esperantisto".

De 1977 ĝis 1985 li loĝis en Budapeŝto, kie li edziĝis al hungara esperantistino. Tie aperis liaj unuaj Esperantaj noveloj. En Budapeŝto Julian Modest aktive kontribuis al diversaj Esperanto-revuoj per noveloj, recenzoj kaj artikoloj. Tie li estis membro de la Asocio de Junaj Hungaraj Verkistoj. De 1986 ĝis 1992 Julian Modest estis lektoro pri Esperanto en Sofia Universitato "Sankta Kliment Ohridski", kie li instruis la lingvon, originalan Esperanto-literaturon kaj historion de Esperanto-movado. De 1985 ĝis 1988 li estis ĉefredaktoro de la eldonejo de Bulgara Esperantista Asocio. En 1992-1993 li estis prezidanto de Bulgara Esperanto-Asocio.

Julian Modest ofte prelegas pri la originala Esperanto-literaturo. Li estas aŭtoro de pluraj recenzoj kaj studoj pri Esperanto-libroj kaj Esperanto-verkistoj.

Pluraj noveloj de Julian Modest el Esperanto kaj el

bulgara lingvo oni tradukis en diversajn lingvojn, albanan, anglan, hungaran, japanan, korean, kroatan, makedonan, rusan, ukrainan k. a.

Nuntempe li estas unu el la plej famaj bulgarlingvaj verkistoj. Liaj noveloj aperas en diversaj bulgarlingvaj revuoj kaj ĵurnaloj. Pluraj liaj noveloj bulgaraj kaj Esperantaj estas en interreto.

Liaj rakontoj, eseoj kaj artikoloj aperis en diversaj revuoj "Hungara Vivo", "Budapeŝta Informilo', "Literatura Foiro", Fonto", "Monato", "Beletra Almanako", "La Ondo de Esperanto", "Zagreba Esperantisto" kaj aliaj

Nun Julian Modest estas ĉefredaktoro de revuo "Bulgara Esperantisto". Oni ofte intervjuas lin en bulgaraj ĵurnaloj kaj en diversaj radio kaj televiziaj stacioj, en kiuj li parolas pri originala kaj tradukita Esperanta literaturo. Li redaktis plurajn Esperantajn kaj bulgarlingvajn librojn. Julian Modest estas membro de Bulgara Verkista Asocio kaj Esperanta PEN-klubo.

율리안 모데스트의 작품들

-우리는 살 것이다!-리디아 자멘호프에 대한 기록드라마
-황금의 포세이돈-소설
-5월 비-소설
-브라운 박사는 우리 안에 산다-드라마
-신비한 빛-단편 소설
-문학 수필-수필
-바다별-단편 소설
-꿈에서 방황-짧은 이야기
-세기의 발명-코미디
-문학 고백-수필
-닫힌 조개-단편 소설
-아름다운 꿈-짧은 이야기
-과거로부터 온 남자-짧은 이야기
-상어와 춤추기-단편 소설
-수수께끼의 보물-청소년을 위한 소설
-살인 경고-추리 소설
-공원에서의 살인-추리 소설
-고요한 아침-추리 소설
-사랑과 증오-추리 소설
-꿈의 사냥꾼-단편 소설
-살인자를 찾지 마라-추리 소설
-내 목소리를 잊지 마세요-애정 소설

Julian Modest estas aŭtoro de jenaj Esperantaj verkoj:

1. "Ni vivos!" – dokumenta dramo pri Lidia Zamenhof. Eld.: Hungara Esperanto-Asocio, Budapeŝto,1983.

2. "La Ora Pozidono" – romano. Eld.: Hungara Esperanto-Asocio, Budapeŝto, 1984.

3. "Maja pluvo" – romano. Eld.: "Fonto", Chapeco, Brazilo, 1984.

4. "D-ro Braun vivas en ni". Enhavas la dramon "D-ro Braun vivas en ni" kaj la komedion "La kripto". Eld.: Hungara Esperanto-Asocio, Budapeŝto, 1987.

5. "Mistera lumo" – novelaro. Eld.: Hungara Esperanto-Asocio, Budapeŝto, 1987.

6. "Beletraj eseoj" – esearo. Eld.: Bulgara Esperantista Asocio, Sofio, l987.

7. "Ni vivos! – dokumenta dramo pri Lidia Zamenhof - grandformata gramofondisko. Eld.: "Balkanton", Sofio, 1987

8. "Sonĝe vagi" – novelaro. Eld.: Bulgara Esperanto-Asocio, Sofio, 1992.

9. "Invento de l' jarcento" – enhavas la komediojn "Invento de l' jarecnto" kaj "Eŭropa firmao" kaj la dramojn "Pluvvespero", "Enŝteliĝi en la koron" kaj "Stela melodio". Eld.: Bulgara Esperanto-Asocio, Sofio, 1993.

10. "Literaturaj konfesoj" – esearo pri originala kaj

tradukita Esperanto-literaturo. Eld.: Esperanto-societo "Radio", Pazarĝik, 2000.

11. "La fermata konko" – novelaro. Eld.: Al-fab-et-o, Skovde, Svedio, 2001.

12."Bela sonĝo" – novelaro, dulingva Esperanta kaj korea. Eld.: "Deoksu" Seulo, Suda Koreujo, 2007.

13. "Mara Stelo" – novelaro. Eld.: "Impeto" – Moskvo, 2013

14. "La viro el la pasinteco" – novelaro, esperantlingva. Eldonejo DEC, Kroatio, 2016, dua eldono 2018.

15. "Dancanta kun ŝarkoj" - originala novelaro, eld.: Dokumenta Esperanto-Centro, Kroatio, redaktoro: Josip Pleadin, 2018

16."La Enigma trezoro" - originala romano por adoleskuloj, eld.: Dokumenta Esperanto-Centro, Kroatio, redaktoro: Josip Pleadin, 2018

17."Averto pri murdo" - originala krimromano, eld.: Eldonejo "Espero", Peter Balaz, Slovakio, 2018

18."Murdo en la parko" - originala krimromano, eld.: Eldonjeo "Libero", Lode van de Velde, Belgio, 2018

19."Serenaj matenoj" - originala krimromano, eld.: Eldonjeo "Libero", Lode van de Velde, Belgio, 2018

20."Amo kaj malamo" - originala krimromano, eld.: Eldonjeo "Libero", Lode van de Velde, Belgio, 2019

번역자의 말

오태영(Mateno, 평생 회원)

이 책을 손에 들고 읽어내려가는 분들께 감사드립니다. 80년대 대학에서 최루탄을 맞으며 평화에 대해 고민한 나에게 찾아온 희망의 소리는 에스페란토였습니다.

피부와 언어가 다른 사람 사이의 갈등을 풀고 서로 평등하게 의사소통하며 행복을 추구하는 새로운 이상에 기뻐하며 공부하였습니다.

세월이 흘러 직장을 은퇴하고 에스페란토 원작 소설을 읽으며 즐거움을 누리다가 초보자를 위해 한글 번역이 있으면 좋겠다는 마음으로 번역을 시작했습니다.

한글 번역을 참고해 원작을 읽으면서 에스페란토 실력을 향상했으면 하는 바람입니다.

개정판을 내면서 잘못된 부분을 수정하고 에스페란토 원문을 포함시켰습니다. 글이 조금씩 나아지는 모습을 보며 에스페란토처럼 삶은 희망이 넘칩니다.

번역이 절대 쉽지 않다는 사실을 절실하게 깨달으면서도 그만둘 수 없는 것은 씨를 뿌려야 열매가 나오기 때문입니다. 이 책을 읽으며 더 훌륭한 번역가가 나와 우리 문학의 지평을 확장해 주길 바랍니다.

흔쾌히 번역과 출판을 허락해주신 리베라 출판사와 저자에게 감사말씀 드립니다.

Vortoj de tradukisto

Oh Tae-young(Mateno, Dumviva Membro)
Mi donis dankon al tiuj, kiuj legas ĉi tiun libron.
Esperanto estis la espera voĉo, kiu venis al mi,
kiam mi maltrankviliĝis pri paco, dum la 1980-aj
jaroj. Tiam mi sentis pikan atmosferon de larmiga
gaso en la universitato.
Mi lernis Esperanton kun ĝojo pri la nova idealo.
Mi esperas, ke spertaj Esperantistoj povas ĝui la
legadon de la originala teksto kaj komencantoj
povas plibonigi siajn esperantajn kapablojn per
referenco de la korea traduko.
En la reviziita eldono, la malĝustaj partoj estis
korektitaj kaj la originala esperanta teksto estis
inkluzivita.
Vidante kiel mia verkado iom post iom pliboniĝas,
la vivo estas plena de espero kiel Esperanto.
Dum vi legis ĉi tiun libron, mi esperas, ke pli
bonaj tradukistoj eliros kaj plivastigos niajn
literaturajn horizontojn. Dankon al Julian Modest
kaj Esperanta Eldonejo 'Libera' pro ilia
senkondiĉa permeso.

꿈의 사냥꾼(에스페란토 포함)

인 쇄 : 2021년 7월 5일 초판 1쇄
발 행 : 2021년 7월 10일 초판 1쇄
지은이 : 율리안 모데스트
옮긴이 : 오태영
펴낸이 : 오태영
출판사 : 진달래
신고 번호 : 제25100-2020-000085호
신고 일자 : 2020.10.29
주 소 : 서울시 구로구 부일로 985, 101호
전 화 : 02-2688-1561
팩 스 : 0504-200-1561
이메일 : 5morning@naver.com
인쇄소 : TECH D & P(마포구)

값 : 13,000원
ISBN : 979-11-91643-07-7(03890)